Vingt-quatre mille baisers

FRANÇOISE DE LUCA

Vingt-quatre mille baisers

NOUVELLES

[FŒJ]

ÉDITIONS
MARCHAND
DE FEUILLES

Marchand de feuilles
C.P. 4, Succursale Place D'Armes
Montréal, Québec
H2Y 3E9 Canada
www.marchanddefeuilles.com

Couverture et mise en pages : M. P. Béland
Illustration de la couverture : Madelaine Adélaide
Révision : Annie Pronovost
Diffusion : Hachette

Les Éditions Marchand de feuilles remercient le Conseil des Arts
du Canada ainsi que la Sodec pour leur soutien financier.

Conseil des Arts   Canada Council
du Canada   for the Arts

Société
de développement
des entreprises
culturelles
Québec

Catalogage avant publication de Bibliothèque et Archives Canada
De Luca, Françoise, 1956-
Vingt-quatre mille baisers
ISBN 978-2-922944-43-3
I. Titre.
PS8557.E454V56 2008   C843'.6   C2007-942461-9
PS9557.E454V56 2008
Dépôt légal : 2008

Bibliothèque nationale du Québec
Bibliothèque nationale du Canada

Vingt-quatre mille baisers

Au début, le monde avait deux langues : celle qu'on parlait à la maison, celle qu'on apprenait à l'école, une langue pour l'intérieur, une langue pour l'extérieur, l'italien et le français, et la petite fille trouvait que le monde était bien fait. Comme elle était trop petite encore pour apprendre la langue de l'extérieur, elle attendait que son frère rentre de l'école et qu'il ouvre ses cahiers. Elle traçait avec lui les lettres de l'alphabet, elle s'appliquait. Le frère aimait beaucoup la petite fille et la petite fille le lui rendait bien, alors c'était un moment heureux pour tous les deux. Mais la petite fille préférait la langue de l'intérieur parce que c'était une langue qui chantait. Le dimanche matin, ils étaient tous ensemble dans la cuisine. Ils ne faisaient rien de spécial. Son frère la taquinait, la chatouillait, lui tirait les joues — elle avait un frère très joueur —, son père était là aussi, était là encore, et il y avait les mots ronds des chansons. Ils écoutaient Jenny Luna, Milva, Marino Marini et Luciano Tajoli — c'était dans les années soixante —, et les mots disaient *felici, steline colorate* et *joia*. Ils disaient *amore mio, sogno* et *sempre, sospira, serena* et *ragga di luna*. Son frère s'approchait de l'électrophone. Dans ses mains de prestidigitateur, la petite fille voyait virevolter le noir luisant du disque, elle attendait le frottement du saphir sur les premiers sillons, les craquements qui libéreraient la fête. Si c'était Jenny Luna qui chantait *24 Mila Baci,* la chanson emportait tout, la chaleur dans la cuisine, le sourire dans les yeux de son père, et le redistribuait, le faisait tournoyer. La table changeait de place, la radio glissait sur ses pattes dorées, et la petite fille avait envie de rire, de se mettre sur la pointe des pieds, de tourner sur elle-même, de faire voler ses nattes. Elle avait envie de se saisir de ces mots qui montaient et qui descendaient comme des ballons colorés, ces mots ailés, ces mots d'une langue qui était encore la sienne. Elle aimait aussi les chansons napolitaines

8

d'Aurelio Fierro. Quand elle sortait le 45 tours de la pochette, fascinée par le rond jaune et rouge de l'étiquette, elle s'attardait toujours sur l'image du chanteur parce qu'il portait un costume bleu semblable à celui de son père et qu'il était comme lui un peu dégarni. Il chantait dans une langue étrange, plus lourde, plus brune, qui creusait une petite tranchée dans son cœur. Oui, c'était toujours une chaleur dans sa poitrine quand on mettait *Cerasella* parce que les mots étaient doux et rugueux, ils avaient un goût de fruit mûr, ils avaient l'odeur de la terre. Elle riait aux éclats quand son frère arrondissait les lèvres sur *limone* et qu'il roulait des yeux en prononçant *cerasa*. Lui connaissait bien l'incurvé de ces mots-là, avec la langue au fond du palais. Il avait neuf ans de souvenirs : il avait couru dans des rues écrasées de soleil, il avait joué des poings, s'était écorché les genoux sur les saisons d'une enfance faite. Elle, elle n'en avait pas. Elle était si petite quand, une nuit, ils avaient quitté leur village endormi. Ils étaient montés dans un train, ils étaient partis pour toujours. Ils avaient emporté avec eux la langue des pins et des châtaigniers, et elle serait leur rempart contre la solitude. Car ils étaient seuls. Ils étaient différents et ils étaient seuls. Personne ne franchissait le seuil de leur maison. Ce que la petite fille voyait de l'autre côté de la rue, c'était la fête des autres, les portes qui s'ouvraient sur des visiteurs endimanchés porteurs de paquets ficelés, de ballons et de raquettes, le long défilé des grands-pères et des grands-mères, des oncles et des tantes, des cousins et des cousines pendant des après-midi qui s'étiraient. La petite fille regardait ces scènes et elle s'étonnait, mais elle était heureuse encore. Dans la cuisine, les mots parlaient de cerises et de citrons, ils ouvraient des fenêtres, ils construisaient des ponts, ils semaient des cailloux pour qu'ils ne se perdent pas. Eux avaient ces mots-là qui les reliaient à ce qu'ils étaient. Tant que chantait la langue brune, ils étaient protégés, ils étaient fiers et liés, et la petite fille pouvait danser et faire voler ses nattes. Son père achetait les disques qu'ils écoutaient dans la cuisine. Il les choisissait pour eux au kiosque devant son usine d'où, chaque semaine, il rapportait aussi pour sa mère le magazine *Bolero*. Elle attendait sur un banc qu'il rentre du travail. Elle le trouvait beau, il ressemblait à l'acteur américain Alan Ladd. Le monde était à sa place, et l'italien était la langue de l'amour, la langue d'un bonheur sans questions.

Puis son père a cessé d'être là et la langue s'est tue dans la cuisine. Il n'y a plus eu de mots qui glissaient, qui dansaient sur la peau, de mots soyeux, de voix joyeuses, de twist, de cha-cha-cha. Le monde a cessé de chanter. La petite fille s'est retrouvée muette, sans mots où s'appuyer. La langue brune n'a plus été la langue de l'unité, la langue aimée, le lien, le rempart. Elle n'a plus été qu'une déchirure, la langue absente de son père absent. La petite fille a eu tant de chagrin qu'elle s'est détournée d'elle. Alors c'est au dehors qu'elle a cherché refuge. Elle a appris passionnément l'autre langue, la langue de l'extérieur. Les mots lui vont, ils sont moins ronds, ils ne la trahiront pas. Tout l'amour engorgé en elle, elle le donne à cette langue, tous les mots restés dans sa gorge. Ce qui la lie à elle est de l'ordre de l'amour exclusif. Cette langue est sienne, elle n'appartient qu'à elle. Qu'elle soit également celle de son frère et de sa sœur n'a pas d'importance. Elle n'est pas celle de son père. Elle les sépare. La petite fille ne veut que cette langue et, plus tard, ce désir lui fermera la porte à toutes les autres. Aussi ne réussira-t-elle jamais à apprendre l'anglais ni l'allemand, qu'elle étudiera longtemps pourtant. Seul le latin lui sera clément et pour cause : une langue morte.

La langue de l'extérieur, elle l'apprend vite et elle est bientôt la meilleure de sa classe. Elle aime les gestes d'apprendre, ils lui sont tout de suite familiers. Ils sont mystérieux et pleins de poésie : le rituel des livres que l'on couvre d'un papier bleu marine, les cahiers neufs, les gommes, les buvards. La plume légère qui avance en crissant, le va-et-vient de la page à l'encrier, les doigts bien serrés sur le porte-plume et le coude sur le bois du pupitre. Le pupitre où elle s'assied, où parmi les autres, elle est seule et silencieuse, mais à sa place, secrètement ouverte à l'immensité, ailleurs déjà, consciente déjà d'apprendre à partir, d'apprendre à quitter. L'école est à la sortie du village, là où la rue s'éloigne le long des prairies et des bouquets d'arbres et rejoint la départementale. Par la fenêtre ouverte, lui parviennent des odeurs d'herbe et de sureau, et tous les mots qu'elle ânonne sont des mots parfumés. L'institutrice a la voix douce, un regard bienveillant. Elle n'impose rien, ne punit pas. Elle sait que ce n'est pas ainsi qu'on apprend. Sur le tableau, elle pointe du doigt des images, et elles deviennent des lettres, elles deviennent des mots, plus tard un poème :

A c'est l'âne agaçant l'agnelle,
B c'est le boulevard sans bout,
C la compote sans cannelle,
D le diable qui dort debout[1].

Les élèves répètent après elle, ils s'accrochent à sa voix. Sa main les guide. Elle se penche à leur épaule. Elle a une odeur fraîche, une joie tranquille. Auprès d'elle, ils s'ouvrent comme des fleurs.

À la maison, la petite fille lit les livres de l'école, elle n'en a pas d'autres. Les livres de lecture, mais aussi les manuels d'histoire, de grammaire. Elle est avide de mots, subjuguée. Sur un coin de la table, elle traverse des continents aux longues lettres effilées, aux tournures complexes. Elle suit du doigt leurs côtes découpées, elle apprend leurs noms, elle les couche, elle les déplie, elle en fait une page lisse à sa compréhension. Elle aime le vertige de chercher, de comprendre, la géographie du savoir. Elle apprend que les mots marchent et qu'ils vont loin, qu'on peut se tenir à leur côté, y appuyer son dos sur la route des

---

1. Maurice Carême, « Alphabet », *À Cloche-pied*, Paris, Bourrelier et Colin, 1968.

fatigues. Les mots de la langue de l'extérieur n'ont pas la rondeur des figues mûres ni leur mollesse. Ils ne font pas battre le cœur tout de suite, bêtement. Ils demandent un effort. Ils ne sont pas rouges et bruns comme ceux de la langue italienne, mais vert pâle, blancs, argentés. Ce sont les mots roseaux d'une langue verticale. Ils commandent une rigueur, une pudeur. Ce sont des mots peupliers. Ils murmurent une musique végétale. La langue française a l'élégance de l'arbre et la souplesse de la rivière, et la petite fille s'enroule à son tronc, elle grandit sur ses berges, elle pousse comme l'iris. Elle grandit à ciel ouvert, dans un univers immense. Après la classe, elle emporte son goûter de pain et de chocolat et elle court avec les enfants de son âge. Ils quittent vite l'unique rue du village. Ils atteignent les prés, le ruisseau, la bordée de saules. Ils s'enfoncent dans les sous-bois. Ils construisent des cabanes, taillent des baguettes pour fouetter le ciel. Ils ne rentrent qu'aux premiers appels dans le soir, nuée d'enfants dans les cerceaux du vent. L'été, ils se roulent dans le foin, se perdent dans les vergers, ils suivent les chemins de terre. Bien sûr, ils ont des jeux plus violents, des bousculades dans les sentiers, des prisonniers dans les cabanes. Elle n'est pas la dernière à se battre et souvent elle est seule. Un geste, quelques mots suffisent pour qu'on s'éloigne d'elle. Alors elle marche longtemps dans la cardamine et les boutons d'or. Elle apprend la musique des prairies et des peupliers. Elle s'allonge dans l'herbe et écoute. Elle entend l'harmonica du vent dans les cimes. Plus tard, elle veut écrire des chansons. Elle en invente déjà, elle sait déjà tout de la vie. Elle sait la solitude et le bonheur, quels sont les refuges s'il manque quelqu'un pour jouer. Elle longe les jardins, elle descend le talus qui mène à la rivière. Elle aime le silence, le secret, les quelques arbres, la pente pleine d'épines. Elle fredonne des airs entendus dans les feuilles.

La petite fille grandit dans la musique verte des mots. Elle grandit dans les livres, elle grandit au dehors. La langue et la nature ont la même respiration. Elles habitent le même désir. Elles sont son chez-elle, sa demeure ouverte. À la maison, elle n'est plus, c'est un monde de silence, les mots l'ont désertée. Elle vit à côté des siens, mais elle n'est plus des leurs. La langue qui les unissait est aujourd'hui celle qui les déchire, qui laisse des trous à l'intérieur d'eux-mêmes. Ils sont séparés et ils sont impuissants. Ils ne peuvent plus revenir en arrière.

Son frère essaiera pourtant, à sa manière. Avec son premier salaire, il achètera des disques en italien, tentera de recréer le lien. Mais la communion n'aura pas lieu. Même de son frère, la petite fille s'est éloignée, et de ses chansons elle ne veut rien savoir. Enfermé dans le salon, il répète pour lui seul les gestes de l'enfance, et elle ignore de quoi est faite sa nostalgie.

La sienne, elle mettra des années à la reconnaître — car elle a toujours été là. Il faudra que le temps, arrivé à marée haute, se retire et laisse des traces lisibles sur le sable. Alors la petite fille devenue grande ira chez son frère chercher les disques qu'ils écoutaient tous ensemble, et il les lui donnera. Elle remettra la chanson des vingt-quatre mille baisers, et la voix de Jenny Luna libérera le parfum des années heureuses, des dimanches dans la cuisine. Elle reconnaîtra les mots et elle les comprendra, parce qu'ils ne l'auront jamais quittée. Elle se souviendra qu'un jour, son père a été ce jeune homme qui, au sortir de son travail, pensait à rapporter quelque chose pour les siens,

16

qu'un jour, il a été celui-là, celui qui illuminait leurs matins. Elle saura alors que ce passé n'est pas mort : il chante encore. Il chante les mots doux et rugueux d'une langue intime, la langue de l'intérieur, repoussée mais jamais oubliée, une langue qui est toujours la sienne.

Premier amour

La jeune femme blanche a aperçu la jeune femme noire et elle l'a reconnue tout de suite. Elles marchaient chacune d'un côté de la rue et allaient dans des directions opposées, comme elles le faisaient depuis vingt ans, depuis qu'elles s'étaient quittées et perdues de vue. L'une se rendait à son travail, l'autre accompagnait son enfant à l'école. La jeune femme blanche a reconnu la jeune femme noire, elle a su tout de suite que c'était elle, cette silhouette, ces cheveux, ce visage, mais elle ne s'est pas arrêtée, elle n'a pas tourné la tête quand elle est arrivée à sa hauteur. Elle a continué tranquillement son chemin sous les arbres et quand elle a atteint le bout de la rue, elle était aussi heureuse, aussi paisible que quelques minutes auparavant. Rien n'avait bougé dans son cœur ni dans l'air du matin.

À dix-huit ans, elles s'étaient aimées. Du moins l'une — la jeune femme blanche — avait aimé l'autre. La réciproque n'était pas sûre. Elle l'avait aimée d'une seule enjambée, comme on le fait quand on a dix-huit ans, comme on le fait quand c'est la première fois. Tournant le dos à l'enfance, elle l'avait aimée sans reprendre son souffle : premier amour, première année d'université, premiers mois d'un avenir tout neuf. Elle l'avait vue. Dans une chambre d'étudiant, où ils étaient plusieurs à boire et à écouter de la musique, elle l'avait remarquée tout de suite en entrant : elle avait du feu dans les cheveux, de l'eau sur son sourire. Comme toutes les chaises étaient occupées, elle s'était assise sur le lit à côté d'elle. Elles avaient échangé quelques mots, puis elles avaient parlé plus longuement. La jeune fille noire avait un petit cheveu sur la langue, elle semblait vulnérable, mais quand elle riait — elle riait avec le nez, avec la gorge —, dans ses yeux brillait une lueur ironique. La jeune fille blanche avait un visage pâle, une silhouette fragile. Elle avait l'air de savoir des choses, alors qu'elle n'était qu'un coquillage qui attendait de voir la mer. Il ne s'était rien passé ce soir-là. Comme tout le monde, elles avaient bu et écouté de la musique, mais il s'était passé quelque chose : à la fin de la soirée, elles étaient déjà deux parmi les autres.

Le lendemain, la jeune fille noire avait frappé à la porte de la jeune fille blanche. Elle l'avait invitée à sortir dans la ville : elle aimait marcher sous le ciel de novembre, sous le ciel mauve. Dans la rue, elle avait passé son bras sous celui de la jeune fille blanche. Elle lui avait parlé de Pointe-Noire et du fleuve Congo, de la mer et des forêts profondes, elle avait dessiné des paysages à sa faim sans limites. Et la jeune fille blanche avait eu le sentiment d'enlacer le monde. Elles s'étaient retrouvées chaque jour après les cours. Serrée contre la jeune fille noire, la jeune fille blanche glissait dans des odeurs vertes, dans des murmures de fleuves, et les rues, les places, les ponts de la ville au nom germanique devenaient savane, terre brûlée et formaient l'étrange topographie d'un amour prêt à éclore. Un jour, elles avaient marché plus loin, elles avaient longé des quartiers en construction, traversé des paysages silencieux.

Elles marchaient vite. Leur désir habilement ca-
mouflé, elles allaient l'une vers l'autre, elles allaient vers leurs corps qui seraient presque nus.
Quand elles avaient atteint l'établissement de
bain, elles s'étaient déshabillées chacune dans sa
cabine, et c'était comme un prélude à l'amour. La
jeune fille blanche avait ouvert sa porte, elle avait
vu la jeune fille noire debout devant elle, elle avait
vu l'éclat de son corps, ses jambes élancées et ses
yeux plus exposés que son corps, parce qu'ils s'offraient pour la première fois sans lunettes, et rien
ne lui avait jamais paru aussi beau. Elle ne pouvait plus quitter ces yeux nus et elle y lisait sa propre émotion, son trouble. Le trouble avait le glissé
du velours, ses reflets sombres. Il n'était pas douceur. Il était violence. Il était violence et douceur.
Il la rendait muette.

Le lendemain, elle était tombée malade. Ses
jambes, son cœur tremblaient. Elle ne pouvait
plus se tenir debout. La jeune fille noire était venue après ses cours — la jeune fille blanche savait
qu'elle viendrait. Elle était entrée dans la chambre, elle s'était assise et n'avait rien dit. Elles
avaient laissé le jour décliner et iriser leur visage.
Les bruits de la rue leur parvenaient comme un

bourdonnement. Le dehors ne les concernait plus. Allongée dans le lit étroit de sa chambre étroite, la jeune fille blanche retenait son souffle, attentive à la nuit. Puis elle avait senti la jeune fille noire se glisser à ses côtés et tous les bruits s'étaient tus. Quand une main douce s'était posée sur sa peau, son corps avait explosé sous la fièvre. La terre s'était ouverte, la terre s'était enflée, et en son centre, entre mourir et vivre, elle avait distinctement entendu la vie gronder dans ses veines. Elle était au cœur d'un mouvement battant qui l'emportait, la reprenait, la rejetait dans la rumeur du monde et les pulsations de l'amour. Elle perdait le souffle, le retrouvait, elle naissait au jour. Jamais ensuite amour ne serait plus total, plus définitif. Jamais ensuite amour ne serait un tel vertige. Elle s'était réveillée avec la main de son amie sur son visage. Les longs doigts suivaient la ligne de son nez, s'attardaient sur sa bouche. Sous la caresse, elle avait ouvert les yeux. La jeune fille noire s'était penchée sur elle et, en lui redonnant le poids de son corps, elle avait murmuré sur ses cils. Ses mots parlaient de la nuit, de leurs mains sur le drap blanc. Ils parlaient d'astres, de comètes, de galaxies, de leurs visages striés d'étoiles. Ils disaient qu'elles étaient un tout, une terre, et les cils de la jeune fille blanche se mouillaient de larmes. Elle pleurait sous le souffle de l'amante, elle pleurait sur la beauté, beauté de la nuit, du corps incandescent, beauté des mots murmurés avec un petit cheveu sur la langue. Beauté qui lie. La jeune fille blanche pleurait sur ce qu'elle savait, sur ce qu'elle ignorait. Elle pleurait sur ce qui emporte, ce qui bat, ce qui fragmente, ce qui creuse à côté du cœur, dans le ventre, les poumons et sous la peau. Il était trop tard, trop tard pour ne plus se souvenir. Elle était désormais donnée, offerte. Elle était sans recul. Plus tard, elles étaient sorties dans la ville. Qui sait ce qu'est sortir dans la ville quand on sort de l'amour ? Le grain du jour n'est plus le grain du jour. Le jour est un drap lisse, une ligne ouverte, un temps qui n'a pas de fin. Le premier amour, ce n'est pas juste un amour, c'est l'éternité.

Éternité d'un hiver. Hiver secret où les nuits s'incurvaient, enveloppaient leur étreinte. Elles s'approchaient l'une de l'autre et le jour se dénouait. La jeune fille noire disait : « Tu es belle, j'aime ton nez, j'aime tes gestes, je suis jalouse de tes doigts sur ta cigarette. » Elle riait et le rire était une autre caresse. Dans la rue, les cafés, dans la chambre, elle murmurait des mots d'amour, et pour la jeune fille blanche, ces mots avaient un goût de réglisse et de fleur d'oranger. L'avenir y était palpable : elles seraient deux dans des jours semblables, dans des jours différents, mais deux toujours. Et la jeune fille blanche était aussi légère qu'un ballon d'hélium.

Aussi, quand la jeune fille noire avait prononcé d'autres mots, elle était trop haut, le vent était trop doux à ses oreilles, elle n'entendait pas. Elle n'entendait pas les mots qui se rétractaient : « Tu es trop heureuse, trop sûre de toi. Tu es trop blanche, trop pâle, tu es laide quelquefois. » Elle n'entendait pas les mots cassants, les mots qui avaient peur d'eux-mêmes. Et la lueur ironique dans les yeux de son amie, elle ne la percevait que quelquefois.

C'était le printemps quand la jeune fille noire avait regardé ailleurs et qu'au bras d'un garçon elle était partie. C'était un printemps doux, un printemps tranquille quand le monde s'était écartelé, quand le corps de la jeune fille blanche était tombé, s'était fendu, et qu'elle n'avait plus été que la moitié de deux, la moitié de rien. Elle s'était enfermée dans sa chambre, ne voulait plus rien voir, plus rien entendre. L'avenir était devenu un mot terrifiant. La jeune fille noire était revenue, son corps était de nouveau tout près, mais elle n'était pas revenue pour apaiser, elle était revenue pour tout reprendre : de la première à la dernière nuit, tous les mots, les baisers, les caresses, les rues de la ville et le ciel mauve. Revenue pour déraciner le mot amour du cœur de la jeune fille blanche et de ses propres souvenirs. Atterrée, malade d'un chagrin déjà si grand, la jeune fille blanche se taisait. Les mots de cette haine incompréhensible ricochaient sur son crâne, sur la porte barricadée de son cœur. Son amour, elle le tenait serré dans son poing. Même à terre, elle ne le rendrait pas. Elle ne rendrait ni le feu allumé en elle, ni son corps embrasé, ni même la douleur qu'elle sentait dans chaque fibre de sa peau, dans chacun de ses muscles déchirés. De sa mémoire, elle ne s'amputerait pas. Elle se taisait, c'était tout ce qu'elle pouvait faire, et fermer les yeux et penser : « Pourquoi, pourquoi ? » Cette douleur lui volait la première, celle qui lui aurait déjà suffi pour toute une vie : ne plus toucher le corps aimé, ne plus marcher à ses côtés, être aveugle dans la ville. Quand la porte s'était enfin refermée, elle avait regardé devant elle. Elle avait dix-huit ans, il lui faudrait des années pour atteindre l'âge suivant.

Elle avait quitté la ville et s'était avancée sur l'autre versant du monde avec sa pauvre question. Elle n'a jamais eu de réponse, le temps ne lui en a pas donné. Longtemps, il ne s'était rien passé. Puis un jour, elles s'étaient croisées. C'était bien après les années du chagrin. Dans une rue inattendue, parmi les passants, elles s'étaient tout à coup retrouvées face à face. La jeune fille blanche s'était avancée vers le visage familier, oubliant tout, pensant que pour la jeune fille noire aussi, le temps aurait émondé les souvenirs et qu'il n'en resterait que le cœur nu, le cœur vivant : leur amour, premier amour. Mais quand elle s'était avancée, souriante, elle avait vu dans les yeux noirs, yeux ironiques, la même hostilité, le même déni qu'autrefois. Le monde était toujours divisé, la terre n'avait pas cicatrisé. La jeune fille blanche en avait ressenti non plus de la peine, mais de l'étonnement. Quand la jeune fille noire lui avait tourné le dos et qu'elle s'était de nouveau retrouvée seule, elle avait compris que ce visage n'était plus celui de son amour. Quelque chose s'était alors détaché d'elle, était tombé dans la rue, elle l'entendait rouler à ses pieds comme une pièce de monnaie sans valeur. En elle s'était ouvert un espace inconnu, un espace pur, lavé. Elle avait desserré son poing : son amour, bien que ratatiné, y brûlait encore. Elle avait voulu en faire une boule et la jeter loin, très loin, au-dessus des passants, dans le ciel clair. Mais elle avait regardé le ciel et il était sans limites. De son amour, elle ne se déferait pas, il lui appartenait, il n'appartenait qu'à elle, cela, elle le savait maintenant. Il n'était plus prisonnier d'un visage. Il était en quelque sorte devenu autonome. Elle avait alors senti que le monde pourrait se ressouder, qu'elle pourrait désormais se souvenir, sans regrets, sans chagrin, sans questions, qu'elle pourrait être une femme heureuse.

Alors, oui, ce matin-là, dans une autre ville, un autre continent, elle reconnaît la silhouette qui marche sous les arbres. Elle reconnaît les cheveux, le visage. Elle reconnaîtrait aussi les mains, et la voix et le petit cheveu sur la langue, car il lui reste cela, cette capacité à la reconnaître. Elle voit l'enfant et elle pourrait s'en émouvoir, elle pourrait se demander s'il ressemble à sa mère, s'il a ses yeux ou son rire de gorge. Elle pourrait aussi s'émerveiller de cette rencontre, car il est étrange que parmi tant de villes, tant de pays et quelques continents, elles aient toutes les deux choisi, tant d'années après, de vivre au même endroit. Mais elle n'est pas émue, elle n'est pas émerveillée. Il est trop tard pour cela. Aujourd'hui, tout est lisse en elle, tout est à sa place. Elle peut tranquillement continuer son chemin.

29

Les pommes
de René Char[*]

J'ai respiré longtemps dans les mots d'un poète.

J'avais vingt-cinq ans. Je brûlais d'un feu de pierre. J'avais faim et j'avais soif. Je rêvais d'infini et de mystère, d'échanges poreux, de mots ardents. J'ouvrais les mains, mais rien. Il n'y avait rien devant moi.

D'un livre ouvert par hasard, le poète me répondit :

* Nouvelle déjà parue dans la revue *Zinc* n° 6, automne 2005, ainsi que dans le collectif *Dans le privilège du soleil et du vent – Pour saluer René Char*, Lyon, Éditions la passe du vent, 2007.

De quoi souffres-tu ?

De l'irréel intact dans le réel dévasté. De leurs détours aventureux cerclés d'appel et de sang. De ce qui fut choisi et ne fut pas touché, de la rive du bond au rivage gagné, du présent irréfléchi qui disparaît. D'une étoile qui s'est, la folle, rapprochée et qui va mourir avant moi[1].

Dans ces mots exigeants, je plongeai et je refis surface. Debout parmi les livres, dans la tiédeur d'un après-midi, je trouvai le rythme d'un souffle. La vie se levait, augmentée d'un sens, traversée d'éclairs. Ce que j'avais pressenti et jamais atteint s'écoulait là, entre les doigts des mots, comme le sable d'un savoir ancien, d'un savoir nouveau, qui me réconciliait et qui me divisait. Je lus le nom, le titre : René Char, « Rémanence », des éclats nets. Devant ces lignes lumineuses et obscures, je restai longtemps. Je refermai mes mains, j'emportai le livre. Je venais de trouver une terre pour ma solitude, une eau pour ma soif inhabitée.

J'ai tout lu du poète, poète fraternel, poète résistant, ami d'Éluard et de Giacometti, admirateur

1. René Char, « Rémanence », *Le Nu perdu*, Paris, éditions Gallimard, 1971.

32

de Georges de La Tour. Chaque livre était un miracle, une secousse, une traversée. Les mots étaient liberté, insoumission. Ils élargissaient le monde et forçaient l'avenir. Ils étaient roc, granit et silex, mais source et vergers. C'étaient des mots arides et pourtant chargés de vie, des mots d'homme aspirant à l'humain. Des mots qu'il fallait quelquefois faire glisser sous la langue, sucer comme un noyau de fruit pour que le sens affleure. Ils s'ouvraient alors sous leur pluie d'orage. Je ne m'abritais pas. Je me confiais à la lucidité du ciel. Je restais sous le frisson du feuillage, sous la force de l'arbre, sous sa beauté rugueuse. Un élan me portait, une poussée me retenait. *Après le vent c'était toujours plus beau, bien que la douleur de la nature continuât*.

Je lisais tout, je cherchais encore. J'ai découvert des trésors, des dessins précieux, des portraits à la mine de plomb, des exemplaires dédicacés, des premières éditions : *Placard pour un chemin des écoliers, L'Effroi la joie, Lettera amorosa*. J'étais à l'affût du moindre écrit, de la moindre trace. Je prenais des trains pour trouver quelques

33

---

2. René Char, *Lettera amorosa*, Paris, éditions Gallimard, 1953.

lignes. Je marchais dans Paris, j'écumais les librairies, les bouquinistes. À la Bibliothèque nationale, j'eus la chance de voir l'exposition où le poète montra pour la première fois ses manuscrits enluminés par des peintres. Tous ceux que je connaissais étaient là : Picasso, Braque, Matisse, De Staël, Vieira da Silva, Szenes, Zao Wou-Ki, et d'autres que je découvrais : Alexandre Galperine, Luis Fernández. Je reçus leur lumière comme un coup dans la poitrine. Je me souviens du vert, du végétal, du silence et de la paix, de la parole solaire dans le tremblement des couleurs : des gouaches, des aquarelles, des cires, des collages. J'avançais dans un ravissement continu. Tout ce que j'aimais se rejoignait dans cette intimité de l'encre et de la matière. Tout ce que j'avais lu prenait vie. Plus que dans les livres, plus que dans leurs pages fulgurantes, je sentis dans ce lieu la présence du poète, sa présence impérieuse et tendre, sa quête inlassable.

C'étaient des années d'émerveillement, à fouiller, à creuser, le cœur battant. Il faut que je dise leur importance, leur portée. J'avais vingt-cinq ans, j'absorbais le monde. Il devenait autre, il avait le goût de l'espoir et du courage. Il était désir vivant. J'y construisais ma maison. Contre le poète debout, je poussais ma colonne vertébrale. Dans ses mots ciselés, dans sa marche insatiable, je trouvais un écho à mon exigence, une forme à mon avenir. Aussi, quand vint pour moi le moment de partir, je pris la direction du Midi. *Pourquoi ce chemin plutôt que cet autre ? Où mène-t-il pour nous solliciter si fort ? Quels arbres et quels amis sont vivants derrière l'horizon de ses pierres, dans le lointain miracle de la chaleur*[3] *?* René Char, le poète de l'Isle-sur-la-Sorgue, y vivait encore.

Je n'ai pas cherché à le rencontrer, je n'ai pas écrit. Je n'y pensais pas. Ses mots me suffisaient. Je ne suis pas une admiratrice importune. Mais j'ai trouvé sa maison, l'ai découverte petite et coquette à mon grand soulagement ; il me semblait qu'un tel homme ne pouvait habiter une maison cossue. Non, la sienne avait le nom d'un buisson ; un portail de bois, une allée de gravier y menaient. Autour, des champs de lavande, un verger, un jardin, l'odeur des pins. J'y passais de temps en temps. Je ne m'attardais pas. Je continuais ma promenade

---

3. René Char, « Pourquoi ce chemin ? », *Revue Imprudence*, Paris, 1949.

sur la route étroite, puis je rebroussais chemin. Moi, j'habitais de l'autre côté du Rhône, dans un petit village juché sur la pierre. J'y apprenais le ciel de Provence, le silence chargé d'insectes, la dureté du minéral, la solitude lente. J'écrivais.

Et de cette solitude et des livres est né un amour : une amoureuse aux yeux clairs. Elle s'avança vers moi de l'extrémité d'un jour de mai, quittant un train qui descendait vers la mer. *L'été chantait sur son roc préféré quand tu m'es apparue, l'été chantait à l'écart de nous qui étions silence, sympathie, liberté triste, mer plus encore que la mer dont la longue pelle bleue s'amusait à nos pieds*[4]. Nos premiers mots d'amour furent ceux du poète. J'avais cueilli un bouquet d'aubépines, et il fut notre « premier alphabet ». Elle s'avança vers moi. C'était encore l'aube de la vie, mon cœur était gonflé de sève. Dans la chambre haute, j'ouvris pour elle mes draps de lavande, et elle me donna tout en le retenant ce que j'avais cherché si fort : l'insaisissable, l'inexprimable, le véhément. Nous avons accroché notre amour à la brûlure du Vaucluse, frotté nos pieds sur la

4. René Char, « Fastes », *Fureur et Mystère*, Paris, éditions Gallimard, 1948.

pierre fraîche des siestes. Nous avons vécu là ce qu'il nous était possible de vivre, quelques étés fragmentés en attendant notre chute. Elle viendra plus tard. Il reste des mots fragiles à tresser dans la nuit, des beautés, des matins, des terrasses. Il reste un jour pour contenir ces années, pour leur donner sens et mémoire. Un jour dérisoire et splendide pour unir notre amour et la poésie.

Ce jour-là, il avait plu. Nous avions chaussé des bottes, rouges pour elle et roses pour moi. Elle avait eu envie de revoir la maison du poète. Nous nous étions garées un peu en retrait et nous avions marché. Nous ne cherchions rien. Nous avons suivi la route de Saumane, sommes passées devant l'allée de gravillons ; le portail de bois était ouvert. Nous avons continué et, pour la première fois, nous avons pris le chemin qui passait derrière la maison. Il y avait un petit mur qui joignait quelques oliviers à un pommier. Pour accéder au jardin, quelques marches en pierres plates. J'ai vu le pommier, il explosait de fruits. Je suppose que l'enfance s'est mêlée à mon geste. J'ai enjambé le mur. J'ai tendu la main vers l'arbre. Ce geste, je m'y arrête. Il y a un glissement dans ma poitrine, il y a un vide et il y a un plein. Car ce

geste, quoi qu'il advienne, est déjà une pierre,
une stèle. Il est le plus court chemin vers l'admiration, il est littérature. Je détache deux pommes
et, d'un mouvement leste, je quitte le jardin. Rien
n'a bougé autour de nous. Nous restons un moment immobiles, interdites. Les yeux de l'amoureuse rient sous l'effroi. Je lui tends un fruit et
nous amorçons doucement un mouvement de retrait. Tout est lent et pourtant nous nous hâtons.
Un peu plus bas, la maison est à demi cachée par
des bosquets. Sur la vitre de la porte-fenêtre,
j'aperçois comme un dessin de givre. Un oiseau ?
Nous nous penchons. Et un homme sort en furie,
une serviette autour du cou. Nous reculons, ter-
rorisées, et nous courons à travers champs jusqu'à
la route. Sur la route, René Char est là. Il a mis un
veston, il a pris une canne. Il s'avance vers nous,
apaisé maintenant. Car ce qu'il voit, ce sont deux
jeunes filles apeurées, l'une en bottes rouges, l'autre en bottes roses. Il s'avance vers nous et il
parle. Il dit ne s'être rendu compte qu'après coup
que nous étions des femmes, qu'il avait cru dans
un premier temps qu'il s'agissait de rôdeurs. Que
la prochaine fois, il faudrait entrer, franchir le
portail et entrer, simplement. Sa voix est douce,
il paraît moins robuste que tout à l'heure. Il n'a

plus ce corps de bûcheron des photos de sa jeunesse. Il est légèrement voûté. Mais il est là. Il est là, le poète, le poète souverain, le poète solaire. Il est tout près de nous. Nous pourrions toucher son bras. Et nous ne disons rien. Nous ne disons pas qui nous sommes et qui il est, nous lui sourions. Mais nous pouvons taire ce que nous savons, car il sait au-delà de nous. Que seraient pour lui quelques phrases de plus ? Ce qui importe, c'est son souffle et c'est le nôtre, lui vivant et nous vivantes, debout au bord du champ. C'est cette drôle de rencontre, cette invitation amusée, ce moment bref, glissé au bord du jour. C'est de nous être croisés sur une route qui tenait de l'enfance. Ce sont les pommes dans nos poches que le poète ne voit pas et qui nous lient à lui à son insu. Qui nous lient à sa jeunesse buissonnière, à ses genoux écorchés. Ce qui importe, ce sont ces deux trésors, non pas subtilisés, mais rendus. Rendus au-delà de notre silence, de notre admiration contenue. Rendus au poète, comme un hommage suprême. Nous nous sommes quittés au bord de la route. René Char a continué sa promenade et nous sommes rentrées, enchantées et chancelantes.

39

Je ne suis pas retournée aux Busclats. Je n'ai jamais franchi le portail de bois blanc. René Char est mort cinq ans plus tard, et mon amour est parti aussi. Mais je me souviens du goût de la pomme, de la morsure fraîche, de la rondeur dans ma main. Je me souviens du goût de la pomme comme un éclair qui dure.

Rennes
Saint-Malo avec un marin

J e dois à un livre une nuit étrange. Une nuit déviée de son cours, sortie de son lit, une parenthèse du hasard.

Je partais pour Saint-Malo et j'avais dans ma poche le premier volume des *Mille et une nuits*. Je pouvais en sentir le poids, la présence invitante. J'avais hâte d'en commencer la lecture. Je me suis assise dans un café proche de la gare Montparnasse et je l'ai sorti. J'aime les livres neufs, leur épaisseur compacte, leur odeur. J'aime m'émerveiller de ce qu'ils ne disent pas encore. Ouvrir un livre neuf, c'est comme marcher dans la neige qui n'a pas encore été foulée. L'édition que j'avais choisie avait une couverture souple, un format agréable. J'ai tourné délicatement quelques pages. Dehors, c'était l'hiver, bientôt Noël. Dedans, la chaleur intrigante des mots, leurs promesses de voyages : *Les chroniques des Sassaniens, anciens rois de Perse, qui avaient étendu leur empire dans les Indes, dans les grandes et petites îles qui en dépendent, et bien loin au-delà du Gange, jusqu'à la Chine, rapportent qu'il y avait autrefois un roi...* J'ai oublié le café, le soir qui tombait, le temps qui passait. Le récit s'est fait cruel. Chaque matin, le nouveau roi faisait étrangler la femme qu'il avait épousée la veille. Puis Schéhérazade priait son père, le grand vizir, de la mener jusqu'à lui. Ensuite commençait le conte du marchand et du génie. À ce moment-là, j'ai levé les yeux et j'ai vu que je venais de rater mon train.

À Saint-Malo m'attendaient des bras aimants, une chambre chaude. Je me tenais sur le quai vide, mon livre encore à la main, mais je n'en voulais pas à Schéhérazade. Je lui dois la nuit qui viendrait, une nuit d'odeurs et de terre humide, où dans le silence d'une route de campagne, je marcherais en compagnie d'un inconnu. Un inconnu qui n'avait rien d'un Sinbad, mais qui était marin.

J'ai pris le train pour Rennes en pensant que de là je pourrais encore me rendre à destination, que je trouverais un moyen, et que je l'aurais, ma nuit d'amour. C'est dans ce train que je l'ai rencontré. Je m'étais assise à côté de lui. Je ne lui avais d'abord pas prêté attention. J'avais tenté de reprendre ma lecture, mais j'étais vigilante désormais et j'avais fini par refermer le livre. Il n'a éveillé mon intérêt qu'un peu plus tard. Le train était sorti de la gare depuis un moment et les deux voyageurs en face de moi avaient déjà fermé les yeux. Il s'est levé et a sorti un bloc de papier de sa mallette, qu'il a posée sur ses genoux. J'ai jeté un coup d'œil dans sa direction. Il avait commencé une lettre. « Madame », avait-il écrit. Cela m'a intéressée. Je l'ai regardé plus attentivement. Il portait un costume sombre et une chemise blanche à col ouvert, ce qui était surprenant pour un garçon si jeune. Il avait les traits tirés, un visage tourmenté. Il regardait droit devant lui, indifférent à ce qui l'entourait. Je suis revenue au livre que je ne lisais pas, mais je sentais sa nervosité, sa concentration. Il s'est penché et longtemps il

43

n'a rien écrit. Je ne voyais que son profil pâle et tendu. Puis il s'est redressé et les mots ont jailli. C'était comme une rage. J'ai vu des lignes inégales courir sur la page, des caractères malhabiles. En face de nous, les deux voyageurs dormaient, la tête renversée. Par la fenêtre, le paysage n'était plus qu'une bande sombre. Je n'avais pas allumé ma lampe. Il n'y avait qu'une petite lueur au-dessus de mon voisin, qui éclairait sa souffrance irritée. Il a terminé sa lettre. Il a remis son bloc de papier dans sa mallette, l'a rangée au-dessus de lui, et a éteint sa lumière. Il s'est pelotonné comme un enfant et son coude a heurté ma hanche. Plus rien n'a bougé. Le train traversait la campagne silencieuse. J'ai fermé les yeux moi aussi. À un moment, j'ai senti sa tête glisser sur mon épaule. Je n'ai pas fait un geste. Je me suis rendormie.

Quand, vers minuit, le train est entré en gare de Rennes, il était encore près de moi, dans l'intimité oublieuse de la nuit. Les passagers se pressaient déjà vers la porte. Les lumières avaient été allumées. Je lui ai adressé la parole pour la première fois. Il m'a dit que lui aussi allait à Saint-Malo, mais qu'il pensait rester dans le train jusqu'au départ suivant, au petit matin, qu'il n'y avait pas d'autre moyen. Je ne voulais pas attendre jusque-là et je lui ai proposé de faire du stop avec moi. Je ne sais pas ce qui m'a poussée à lui faire cette proposition. Peut-être le fait qu'il ait dormi sur mon épaule ou la lettre qu'il écrivait ou ce costume qui ne lui allait pas. Je ne sais pas ce qui l'a poussé à accepter.

Sans doute a-t-il regretté de l'avoir fait quand nous nous sommes rendu compte que, sur la route non éclairée, nous pouvions difficilement être vus. Mais il n'a rien dit. Il avait d'autres griefs. Je les saurais plus tard, car la nuit serait longue. Au début, nous ne parlions pas. Les voitures passaient à toute allure. Leurs phares nous aveuglaient un instant, puis nous rendaient à l'obscurité. Nous avons marché pour tromper le froid. Nous levions notre pouce au bruit lointain d'un moteur puis, l'un derrière l'autre, nous reprenions notre avancée invisible. La nuit était totalement silencieuse quand il a commencé à parler. Plus aucun bruit ne parvenait de la route. Autour de nous, c'était une épaisseur d'encre. Il m'a dit qu'il était marin, qu'il avait une fiancée, qu'il ne portait pas son costume parce qu'il allait voir la mère

45

de celle-ci et qu'il détestait cette femme parce qu'elle avait interdit à sa fille de le fréquenter. Il était en colère, il ne comprenait pas. Dans le train, il lui avait écrit une lettre. Il voulait la convaincre, l'amadouer. Je distinguais à peine son visage, mais je savais à sa voix qu'il regardait droit devant lui, qu'il parlait pour lui seul, mangé par sa peine. J'écoutais ce Roméo dérouler sa plainte d'amour et je percevais des soupirs de ruisseaux, des bruissements d'insectes. À mesure que nous avancions, il me semblait que nous forcions la nuit et qu'elle en devenait plus claire, plus transparente. Elle devenait tranquille et accueillante. Elle s'ouvrait à nos pas. Elle n'avait plus la même densité, elle devenait aérienne. C'était une nuit de décembre, mais dans mon souvenir, elle a le parfum d'une nuit de Provence souple et mouvante. Je devinais des champs, des arbres, quelquefois des haies, des buissons ; l'herbe était luisante. Je ne sentais pas la fatigue. Mes jambes allaient plus loin que moi. Elles savaient ce que je ne savais pas. Dans ce bonheur de nuit, dans cette nuit non écrite, j'ai compris tout à coup que j'étais seule. Que j'étais introuvable. Qu'il n'y avait rien autour de nous. Je n'ai pas eu peur quand le marin m'a dit qu'il avait un revolver dans sa mallette. J'ai espéré qu'il n'était pas destiné à la femme qu'il haïssait. Nous avons cessé de parler. Nous nous sommes offerts à la route, au ciel sans étoiles, à nos horizons séparés : lui, sa fiancée incertaine, moi, la nuit d'amour que je ne regrettais plus. Nous étions deux êtres aux vies parallèles, proches le temps d'un hasard, d'une étrangeté. Je ne sais pas combien de temps nous avons marché. Mais nous avons marché avec application et au bout d'un moment sans plus rien attendre. Au bout d'un moment, nous n'étions plus que ce mouvement, nous n'étions plus que la nuit large et apaisante.

Le jour se levait quand une voiture s'est arrêtée. Je crois que nous ne lui avions même pas fait signe. Un jeune couple nous a invités à monter. Pendant le trajet, le marin a reposé sa tête sur mon épaule comme si c'était la seule chose à faire. C'est lui qui est descendu le premier. Quand il a ouvert la portière, je me suis rendu compte que je ne connaissais pas son nom. J'ai été tentée de le lui demander, mais je ne l'ai pas fait. Il est parti ainsi, anonyme, avec son arme dans sa mallette et son cœur non recousu.

Prague

Les rêves d'enfant ne déçoivent pas. Peut-être parce qu'ils n'ont pas de contours nets, parce qu'ils sont flous et ouverts. Parce qu'ils ne sont qu'un point de départ, souvent juste un désir qui s'est planté dans la mémoire et qui grandit, qui fait son chemin, qui tisse une petite pelote de fils transparents. Prague, ce n'était d'abord qu'un mot dans une chanson. Une chanson entendue un jour de fête foraine dans le village des premières années. Parmi les couleurs, les tentations sucrées, l'odeur des pommes candi et les salves des carabines du stand de tir, l'enfant, tout en musardant, reçoit la chanson et l'écoute. Et elle entend le sérieux du mot. Prague est un son grave sous le soleil de mai. Sans doute a-t-elle vu des images à la télévision, sans doute des informations lui sont parvenues à son insu d'un printemps de ce nom. Car Prague n'est déjà plus un mot nu. Quand la fillette l'entend parmi les bruits heureux de la fête, il est déjà un haricot qui germe dans la terre. Plus tard, des racines apparaîtront, la plante grandira, plus tard encore un bourgeon éclatera. Sous le mot pousseront une ville et son histoire. L'enfant devenue étudiante lira Kafka, Rilke et Hrabal en pensant les découvrir par hasard, elle aimera les photos de Sudek et le prénom Rodolphe. Mais que fait-elle, sinon avancer doucement vers un train, un départ, avec un mot enfin éclos?

Et la voilà à l'aube dans une ville vide et silencieuse. Elle n'a qu'un petit sac de voyage qu'elle porte en bandoulière. Elle marche d'un bon pas pour secouer la nuit du train, mais elle a les yeux grand ouverts, car des années d'attente se dénouent ici, dans cette ville qui est sans doute la plus belle d'Europe, mais la jeune femme ne le sait pas encore. On ne va pas beaucoup à Prague à cette époque-là, on ne la choisit pas comme destination, on se tient loin d'elle. Elle n'est pas encore cette ville offerte, tant arpentée, tant décrite,

50

tant louée : belle de Bohème, capitale magique, cité muse, écrin et joyau. Non, elle est encore ville muselée, capitale d'un régime répressif. La jeune femme ne s'attend à rien, elle veut juste être contenue par ses rues, y mener ses pas, y tenir son corps. Mais ce qu'elle voit lui plaît déjà : la courbe des ruelles, les petites places, l'ocre des murs, les devantures baroques encore cachées par la brume. Elle aimerait pourtant réserver son regard pour plus tard, quand la fatigue l'aura quittée. Aussi s'arrête-t-elle devant le premier hôtel qu'elle aperçoit dans le repli d'une rue. Ce n'est pas tout à fait un hôtel, plutôt une pension de famille, une maison haute et ancienne avec des motifs sculptés sur la façade. Un homme aux cheveux blancs, avec qui elle ne peut échanger plus de deux mots, lui tend une clé. La chambre est meublée avec une harmonie un peu austère, mais par la fenêtre, elle aperçoit des toits, des clochers, des tours, des coupoles. Elle voudrait juste prendre une douche, descendre et déjeuner quelque part. Mais quand elle ressort, nue, de la salle de bain, quelque chose l'enchante et elle se laisse tomber doucement sur le lit. Elle a encore la force de se glisser sous les draps avant de sombrer dans le sommeil. Ce sommeil est d'une douceur incroyable, le premier

51

sommeil dans un lieu inconnu. Et ce sommeil la lie à cette ville qui attend d'être découverte comme une première intimité. Quand elle s'éveille, la matinée est déjà bien avancée. Elle ouvre doucement les yeux, sait tout de suite où elle se trouve et sourit. Ce moment, elle le goûte pour la première fois, ce moment fragile et ténu où l'on est déjà ailleurs, mais pas tout à fait encore.

Maintenant, elle est dans la rue, elle regarde. Il pleut doucement. Les boutiques ont ouvert leur rideau. Elle s'enfonce dans le dédale des ruelles et elle se sent tout de suite enlacée, étreinte par ces pierres, ces passages, ces sinuosités, mais à la manière du cœur qui se serre. Elle voit les vitrines indigentes, les passants rapides, et ce voile gris, ce voile de brume et de pluie, qui ne parvient pas à cacher totalement les murs pastel, les toitures de cuivre, les voûtes romanes, tout un passé coloré. Elle s'arrête pour prendre un thé, s'assied dans un café anonyme et puis repart. Elle veut voir, elle veut être exposée à la pluie, à la solitude, au silence. Elle marche longtemps, elle marche des heures comme si elle tournait sur elle-même, comme si elle s'enfonçait toujours plus loin dans les strates d'un mystère. Prague est une ville dont on a endormi la splendeur, mais sa beauté suinte par tous ses pores, s'échappe malgré elle. Prague murmure qu'elle est faite d'un autre temps et que derrière ses pierres muselées couve une fête. La pluie n'a pas cessé et la jeune femme a froid. Elle finit par s'arrêter devant une taverne qui lui semble accueillante. À l'intérieur, des nappes rouges, un bourdonnement sourd. Elle s'assied à une table près de la fenêtre, elle allonge les jambes, regarde autour d'elle. L'endroit est bondé, on y boit de la bière, mais il fait bon. Elle se sent bien. Elle se sent cachée, retirée, introuvable. Elle est exactement là où elle doit être, au cœur troublé d'une ville oubliée. Par la vitre, elle ne voit que le ciel cru, la rue déserte où passe de temps en temps une silhouette encapuchonnée. Elle perçoit au loin le grondement du tram. Elle reste là bien après la fin du repas, dans le bruit assourdi des couverts que l'on essuie, des nappes que l'on froisse.

Elle quitte les rues de la vieille ville et se dirige vers le fleuve. Et là, près du pont qui s'ouvre devant elle, le pont de pierre aux étranges silhouettes, lui vient le mot « enchanté ». C'est comme une petite salve dans la poitrine, cela

vient du lieu, bien sûr, car jamais de sa vie elle
n'a vu un tel horizon, mais cela vient aussi de la
pluie, de l'eau. Puis ce mot, à peine formé, est as-
piré par d'autres mots, des mots de Rilke lus il y a
longtemps : « *Car les souvenirs eux-mêmes ne
sont pas l'essentiel. Lorsque enfin ils se trans-
forment en sang à l'intérieur de nous, en regard
et en geste, qu'ils sont sans nom et ne se distin-
guent plus de nous, alors seulement il peut se
faire que du milieu d'eux, dans une heure très
rare, le premier mot d'un vers se lève et se mette
en chemin[1].* » Elle est debout à l'entrée du pont,
l'un des plus beaux ponts du monde, troublée par
ce qu'elle voit, par ce qu'elle sent. Elle devine
confusément pourquoi elle est là. Elle va entrer
dans le cœur étroit de Prague, dans ses ruelles
obscures et torturées. Elle monte, elle monte toujours plus haut, puis elle se retourne. La ville entière est à ses pieds, obscure, étonnante. Le soir
tombe, les maisons deviennent très basses.

La nuit est totalement noire tout à coup, et la
jeune femme se presse. Elle se presse jusqu'au
pont, jusqu'à la place où les réverbères renvoient

54

---

1. Rainer Maria Rilke, *Les cahiers de Malte Laurids Brigge*, traduction Maurice
Betz, Paris, éditions Émile-Paul, 1945.

une pauvre lumière jaune. Elle se presse dans les rues abandonnées, immenses de solitude, jusqu'à son hôtel. Elle ouvre la porte de sa chambre, elle s'assoit sur le lit. Elle reste ainsi un long moment, sans enlever son manteau, sans faire un geste. Elle entend la pluie redoubler de vigueur et tambouriner sur la vitre. Elle se lève alors et ouvre la fenêtre. La nuit a cette odeur qu'elle aime par-dessus tout, l'odeur des bois détrempés de l'enfance quand l'avenir est devant soi. Et le souvenir revient, le mot saisi dans l'éblouissement du pont. Il semble s'offrir, puis se dérobe. Elle respire encore la nuit, la brume, et soudain elle sait. Quelqu'un murmure à son oreille : « Un jour, nous irons dans une ville enchantée. » Un garçonnet long et maigre. Le premier garçon qu'elle a embrassé. Dans le village de son enfance, ils étaient sortis sous la pluie, s'étaient réfugiés sous les saules. Le garçon aimait les belles phrases. Il avait dit : « Un jour, nous irons dans une ville enchantée. » Ces mots ne s'adressaient pas vraiment à elle, il les avait dits la tête renversée, les yeux dans le ciel. Où avait-il lu cette phrase ? Il l'avait répétée. Elle s'était alors penchée sur lui, elle avait embrassé ses mots, ils étaient humides et chauds. Elle avait sur ses lèvres embrassé la phrase, et c'était son premier baiser. Ce garçon étrange n'avait pas bougé, il l'avait simplement regardée. Il n'avait même pas souri. Il l'avait regardée gravement et n'avait rien dit. C'était le fils d'un marinier. Un jour, une péniche s'était arrêtée au bord de la rivière. Le lendemain, en classe, il y avait deux nouveaux élèves : le garçon et sa sœur. Personne ne s'était approché d'eux. Personne ne leur avait parlé. Ils étaient restés une saison à l'école. Au début de l'été, ils étaient repartis. Elle ne se souvient plus de leurs noms, ni d'où ils venaient ni où ils allaient. Elle se souvient de la péniche, de son attrait, ils étaient quatre à vivre là-dedans. Elle n'y était jamais montée. Avec les enfants du village, elle la regardait de loin, l'admirait secrètement. Comment s'était-elle retrouvée avec ce garçon sous les arbres ? Elle ne le sait plus. Elle ne se souvient que de cette phrase qu'il répétait pour lui-même, debout sous le ciel. Où l'avait-il lue et que voulait-il dire ? Le « nous », était-ce eux, un garçon hirsute et une fillette solitaire ? Avait-il reconnu en elle une sœur en enchantement ? En la reconnaissant lui avait-il donné le goût de connaître le monde et sa magie ? La jeune femme sourit. Elle s'aperçoit que la pluie a mouillé son visage, mais elle ne ferme pas la fenêtre. Elle entend encore la voix de ce garçon oublié et elle se demande quel homme il est devenu. Se souvient-il de son rêve d'enfant ? Marche-t-il comme elle dans la première ville de son désir ? Elle reste longtemps à la fenêtre, apaisée. Demain, elle sortira. Elle marchera encore. Elle retournera vers le fleuve, vers le mot. Dans Prague enchantée, il y a désormais un petit abri sous les saules.

57

India Song

Il avait mis un disque et m'avait dit « Écoute ! »
La fenêtre était ouverte sur une odeur d'herbe
coupée, et je me souviens que j'étais assise sur le
lit, une jambe repliée. Chaque jour, après les
cours, je frappais à la porte de mon ami Simon. Il
me faisait du café et nous parlions. Il était mon
ami des livres, de la beauté, de la profondeur. Il
était mon ami au corps grand et fort, aux mains
larges et au rire puissant. Il a mis un disque et m'a
dit : « Écoute ! » Il y a d'abord eu le piano, puis la
voix de Jeanne Moreau, précise et veloutée, qui
chantait *India Song*. J'ai regardé droit devant moi,
au-delà des haies, au-delà des arbres, j'ai regardé
loin, très loin par la fenêtre ouverte, mon regard

se tendait à l'infini tandis que mon corps se relâchait dans une attente vague et lente. C'était une chanson lointaine, exténuée, elle avait fait un long voyage dans la chaleur et la poussière, elle avait fait un long voyage pour arriver jusqu'à nous, mais c'était aussi un chant de fleuve, un murmure, une eau sur la fatigue. Je regardais devant moi et je percevais en même temps les allées et venues dans le couloir de la cité universitaire, l'immobilité de Simon, l'odeur verte du gazon fraîchement coupé. Puis j'ai entendu une voix répondre à celle de Jeanne Moreau. J'ai su tout de suite qu'il s'agissait de Marguerite Duras. C'était une voix légèrement chuintante, ferme et posée. Avec celle de Jeanne Moreau, elle dansait une rumba étrange. Les mots bondissaient, devenaient définitifs, les mots devenaient inoubliables. Simon a remis le 45 tours, et j'ai écouté encore et encore. Le même mouvement se refaisait, la même douleur diffuse, la même respiration. La même histoire reprenait : l'amour, le Gange, la mousson, l'ambassade de France aux Indes. Je ne savais rien d'*India Song* à ce moment-là et je connaissais peu son auteure. Je n'ai vu le film que deux ou trois ans plus tard, dans un petit cinéma qui reprenait ce qui ne passait plus ailleurs. Mais alors les mots de

Marguerite Duras étaient déjà passés dans mes veines. Il m'avait fallu peu de temps pour chercher, pour trouver, pour aimer et me reconnaître. Pour que cette écriture se fasse sang, eau, lymphe, pour qu'elle soit l'air que je respirais et les battements de mon cœur. J'avais lu *Le Ravissement de Lol V. Stein* et *Le Vice-Consul*; je connaissais la passion de Lol pour Michael Richardson, j'avais vu le bal au casino de T. Beach, l'arrivée d'Anne-Marie Stretter, la danse, puis Lol seule au matin, folle. Je savais les cris du vice-consul de France à Lahore, la plainte de la mendiante, la bicyclette rouge près des tennis. J'étais totalement immergée dans cette eau des mots, de la mémoire et du désir. Aussi le film ne fut pas un choc, mais une vague qui m'emportait un peu plus loin, dans la mémoire qui cherche, qui invente, qui ne sait pas. Parce que les voix d'*India Song* ne faisaient pas le récit, elles l'oubliaient. Dans l'obscurité de la petite salle de cinéma, où nous étions peu, Anne-Marie Stretter descendait les marches de l'ambassade de France, intouchable et superbe, marchant vers sa mort prochaine, vers le Gange, vers la mer. Le choc, ç'avait été la musique de Carlos d'Alessio dans la chambre de mon ami Simon, la chanson lente, la rumba. Je venais de commencer la lecture de *Moderato Cantabile*, qui est aussi musique, et j'aurais pu m'arrêter là, à la chanson, au premier livre. Au livre qui annonçait déjà la destruction de l'écriture, l'écriture qui serait celle de Marguerite Duras à partir de ce moment-là. J'aurais pu ne pas vouloir en savoir plus puisque je savais tout. La voix de Jeanne Moreau dessinait la silhouette inoubliable de Delphine Seyrig, la souplesse, l'ondulation de son corps. La musique était une rumeur de fleuve, une terre disparue. Elle disait la concession incultivable face au Pacifique, les jardins, les rizières, les limousines noires. Elle disait la moiteur, la faim, la lèpre, et le bac sur le Mékong, Saigon, Vinh Long et Sadec. J'aurais pu m'arrêter là, je savais tout — la passion, la folie, l'errance —, mais je voulais chercher encore. Chercher où iraient la langue, les mots, la forme. Ils sont allés loin quelquefois. Jusqu'à l'immobilité, jusqu'à la négation. Je me souviens d'*Aurélia Steiner*, images muettes sur une douleur impossible à représenter, et du visage d'un ami que j'avais traîné là, dérouté, stupéfait, quand nous nous étions retrouvés sur le trottoir après la projection. J'avais ri, moi, rien ne me rebutait. Je lisais, je regardais. Il a fallu des années pour que ma soif s'apaise, il a fallu que cette écriture se

62

mêle à mes propres mots jusqu'à l'irritation, jusqu'à l'épuisement. Puis un jour, avec *L'Amant*, tout a été dit.

Mais il restait un désir. Un désir né de la chanson d'*India Song* et du mouvement dans mon corps. Né de l'offrande de mon ami des livres et des livres lus ensuite. Mon désir du Vietnam. Car, bien sûr, j'ai voulu aller là où cette écriture avait vu le jour, dans le pays qu'elle tentait de faire revivre. Calcutta, l'océan Indien, S. Thala étaient des « références fausses » ; la vérité se trouvait dans un pays qui existait encore tout en étant autre. Qui n'était plus celui des colonies et de l'enfance d'un écrivain, mais qui avait un nom et une terre. Et il était sur le point de devenir différent encore quand il m'a été donné de le connaître. Sept ans s'étaient écoulés depuis *L'Amant* quand, par le hublot de l'avion qui amorçait sa descente sur Hanoi, j'ai vu apparaître le fleuve Rouge. Il serpentait, large et opaque, dans de vastes étendues plates, un patchwork lumineux de verts, de roses et d'ocre. Devant ces images presque irréelles, je n'ai pas pensé tout de suite à ce qui m'avait menée là, je n'ai pensé qu'à ma chance et à mon bonheur. Car avec le temps, mon désir s'était transformé, il avait charrié avec lui des désirs plus anciens et d'autres qui étaient tout neufs. Il était devenu large et indéfini.

À l'aéroport d'Hanoi, on se glissait dans la chaleur comme dans un gant. Ruissellement du corps et pas un geste. Des visages souriaient de l'autre côté de la barrière. Des mains s'agitaient. On faisait des signes. Un instant, j'ai pensé que j'étais la seule à ne pas être attendue. Mais au moment où je récupérais mes bagages, quelqu'un a surgi à côté de moi et a prononcé mon nom. Je me suis tournée vers mon compagnon de voyage et nous nous sommes souvenus du télex envoyé de Bangkok avec la demande de visas, et aussi que nous étions dans un pays communiste. En voiture jusqu'à Hanoi avec guide et chauffeur, parce qu'on ne pouvait voyager seul, on voyait du vert partout — les rizières — et sur le pont qui enjambait le fleuve, de petites maisons étroites sur les murs desquelles on distinguait une date récente : 1987, 1989, 1990, pourtant, c'était presque un paysage de ruines. L'hôtel avait l'aspect d'une caserne, d'ailleurs il y en avait une juste à côté. Nous avons rapidement défait nos bagages et nous sommes sortis. Les rues grouillaient de monde, les bicyclettes lancées à une vitesse vertigineuse s'évitaient en bruissant, et ces bruits feutrés, cette absence de moteurs produisaient une impression stupéfiante. Nous avons pris des cyclo-pousses, et c'est en entrant dans ce mouvement fou, projetée en avant dans les larges avenues de cette ville ocre, recouverte de poussière, que je me suis souvenue de la chanson. Elle m'est revenue de loin, de l'autre côté d'une autre vie. J'avais au creux de l'estomac le même spasme de bonheur que tant d'années auparavant. Dans cette chaleur lourde et poisseuse, dans cette beauté ahurissante, j'aurais pu crier tant je me sentais vivante. C'était la fin de la journée et la lumière poudrait d'or les façades lézardées des anciennes demeures coloniales. Au marché Dong Xuang, nous avons bu un thé au goût fumé à une terrasse minuscule, puis nous avons marché. Le soir glissait lentement, il y avait des parfums d'arbres, des odeurs de soupe, des rires d'enfants. Derrière la beauté, nous avons découvert la misère. Assise à même le trottoir, une vieille dame au chapeau conique présentait des poupées faites avec presque rien. Des gens vendaient quelques fruits, deux paquets de cigarettes, offraient une balance où l'on pouvait se peser pour quelques dôngs. Dans

65

leurs yeux, aucune amertume. Ils nous regardaient passer, curieux, mais leurs visages n'étaient pas fermés, ils souriaient. Chez un tailleur, je me suis fait faire un vêtement « comme en portent les femmes ici ». Les mains du vieil homme tremblaient en prenant mes mesures. Il parlait le français, qu'il avait appris avant la guerre. Avant la guerre, il avait eu un magasin juste en face, et puis plus rien, rien que cette petite pièce encombrée et sombre où il dormait, où il travaillait. En sortant, j'ai regardé l'enseigne : « Mode tailleur », rue Trang Tien. Les mains du vieil homme tremblaient aussi en prenant l'argent. Hanoi était une ville émouvante et fière. La pauvreté était partout, visible, tangible, mais comme tempérée par la dignité de ces gens qui venaient vers nous, éperdus, avides de connaître.

Je me souviens d'une vieille femme au bord d'une rivière sur le chemin de la Pagode des Parfums, à une soixantaine de kilomètres d'Hanoi. Le voyage jusque-là avait été long et pénible. Les routes étaient défoncées. Des femmes creusaient l'asphalte avec des outils trop lourds pour elles. Que faisaient-elles ? Nous avions questionné le guide, il ne nous avait pas donné de réponse.

La pagode était en pleine campagne, nous avions dû marcher des heures sous le soleil, mais il y eut une traversée en barque et, au bord de l'eau, la vieille femme, courbée et toute ridée, dents noires, s'était accroupie à côté de nous et nous avait regardés, nous avait parlé à sa manière, avec des gestes et des sourires, puis elle s'était levée et était allée laver son vêtement à la rivière. Au loin, des buffles se baignaient dans la journée finissante et des enfants s'ébrouaient et riaient. Une autre fois, à Haiphong, une petite fille en sandales bleues courait le long de la mer. Derrière elle, les sampans avaient baissé leurs voiles. Le soir tombait et c'était le moment le plus doux, comme toujours. De la terrasse où nous étions assis s'était alors approchée toute une famille. Comme nous ne trouvions pas de langue commune, nous nous étions souri. Longtemps. Puis chacun était rentré chez soi et d'autres enfants nous avaient fait signe tandis que, juste avant de s'éteindre, la lumière était devenue rose.

Le Vietnam étirait ses deltas, ses rizières, ses temples et sa lenteur. Il nous donnait ses visages ouverts, les petits pas des petites gens, ses cicatrices. L'avais-je imaginé ainsi ? Les images que j'avais conçues s'étaient dissipées d'elles-mêmes. Ce pays m'en donnait d'autres. Il me donnait l'immensité muette de la baie d'Halong, traversée sur un vieux sampan déniché avec difficulté. Des grottes plantées par milliers dans la mer naissaient de petites barques de pêcheurs qui glissaient silencieusement, et nous étions hors du temps, hors du monde, nous étions dans la beauté pure. Il me donnait aussi des images inattendues et légères. Au Vuan Dao, unique hôtel de la baie, Catherine Deneuve était passée quelques mois auparavant avec l'équipe de tournage d'*Indochine*. J'ai voulu voir sa chambre et d'une femme de ménage rencontrée dans le couloir, je me suis miraculeusement fait comprendre. La chambre, la 208, était assez semblable à la nôtre. Nous, nous avions la 305.

Hué, Dalat, nous quittions des splendeurs tranquilles et descendions doucement vers Saigon. Car c'est vers Saigon, ville de *L'Amant*, ville de Duras, capitale de l'ancienne Indochine française, que ma mémoire convergeait. C'était Saigon, la ville de mon désir. C'est là que mon voyage prendrait fin et c'est là qu'il prendrait sens. En sortant de l'aéroport, j'ai souri parce que les taxis étaient de vieilles voitures françaises de couleur claire : des 403, des 203, des dauphines qui avaient l'air toutes neuves. Mais ce fut mon seul sourire, car Saigon, devenue Hô Chi Mính-Ville, était une trahison. Je l'avais crue à l'image d'Hanoi, douce et magique, plus douce encore et plus magique. Maintenant que je traversais ses rues bruyantes engorgées de cyclomoteurs, de mendiants mutilés, je comprenais à quel point elle était loin de mon attente. Saigon était une ville mercantile, américanisée, à la misère agressive. Une ville crue.

Nous avons marché plusieurs jours dans ses rues, creusant leur surface dure dans l'espoir d'y trouver un accès friable, un passage pour la beauté. Puis, un matin, dans l'avenue qui avait été autrefois la rue Catinat, nous étions debout et nous regardions l'hôtel Continental. Et peut-être parce qu'il était tôt, qu'il y avait peu de monde encore, peut-être parce que le soleil était clair et que j'avais déjà vu ce coin de rue autrefois dans un livre d'histoire ou sur une vieille photo, et peut-être parce que je le voulais si fort, mon cœur s'est ouvert et a embrassé la rue, le jour, et la rue et le jour ont enflé dans mes veines.

69

Une femme s'est approchée de nous. Une femme petite, trapue, sans âge. Elle ne mendiait pas, elle vendait des cartes postales. Comme elle s'exprimait en français, nous avons parlé. Et c'est venu comme ça. Debout dans la rue, elle nous a raconté son histoire, histoire banale, en somme. Avant la guerre, elle avait connu un militaire français, dont elle avait eu deux enfants. En 1954, quand les Français s'étaient retirés du pays, il était parti et elle n'avait plus jamais eu de nouvelles de lui. Nous l'avons invitée à prendre un petit-déjeuner avec nous, nous l'avons questionnée. Où vivait-elle? Comment vivait-elle? Elle ne voulait pas être plainte, elle se débrouillait. J'étais fascinée par sa force, son dénuement. Je l'écoutais et je pensais en l'écoutant à un homme que nous avions rencontré à Hanoi peu avant notre départ. Il travaillait au centre expérimental d'enseignement du vietnamien et venait de publier un livre sur cet enseignement par la littérature. Il parlait le français à la perfection. Il nous avait dit « Je n'ai jamais pu sortir de ce pays », mais il s'était fixé trois buts: aller en France, en Inde et à Moscou. Il nous avait invités chez lui et je me réjouissais de parler littérature avec un tel homme. Mais la soirée nous avait mis très mal à l'aise. Il attendait de nous que nous lui procurions une invitation personnelle à venir en France pour traduire son livre. Nous n'avions pas eu le cœur de lui dire que ce n'était pas dans nos possibilités, qu'être étranger ne donnait pas tous les pouvoirs, n'ouvrait pas toutes les portes. Il avait senti notre gêne, s'était rétracté un peu, avait parlé de sa vie, de la pauvreté, du temps où, avec sa famille, il vivait dans une seule pièce. Il avait parlé de la bureaucratie, de l'incompétence. Il ne voulait pas mourir ainsi. J'étais déchirée par cet espoir fou, par cette intelligence qui ne pouvait s'épanouir sous d'autres latitudes. Mais j'écoutais cette femme et c'était différent. J'écoutais cette femme, et il me semblait que j'étais arrivée à un vide, que la littérature n'avait plus aucun sens dans cette ville. La littérature cédait devant la réalité, la misère, l'avenir clos. Je sus à ce moment-là que je ne chercherais pas ce que je n'avais pas cherché encore, la garçonnière du « Chinois de Cholen », le lycée français, la pension d'État de la « jeune fille blanche ». Que je n'irais pas non plus à Vinh Long ni à Sadec. Ces lieux, tout à coup, n'avaient plus d'importance. Tout ce que je voulais, c'était écouter cette femme.

71

À partir de ce moment-là, chaque jour, je suis allée à sa rencontre. Je l'attendais au coin de la rue Catinat et je l'emmenais déjeuner. Saigon, ce fut cela, juste ce visage, ce coin de rue. De la ville que j'avais tant désirée, je ne me souviens de rien. Je n'ai gardé aucune odeur, aucune couleur. Cette femme est mon seul souvenir de Saigon. Je ne sais plus ce que je faisais de mon temps après l'avoir quittée, ni comment étaient mes soirées, ni quelles étaient mes pensées de la nuit. Je ne me souviens que d'elle à mes côtés, de sa voix et des images qui naissaient en moi. Les images lumineuses d'une jeune femme alerte, de rues paisibles, de salles de restaurant, d'écoles et de tamariniers. Les images sombres d'une jeunesse déchirée, d'une vie malmenée, d'une vie qui se bat. Elle parlait sans se plaindre, sans rien demander. Dans ses yeux, sur son corps usé, il y avait tout ce que j'avais cherché, tout ce dont j'avais rêvé, tout ce que je n'avais pas vu et qu'il ne m'importait plus de voir. Il y avait mon propre corps et tous mes départs. Je lui ai dit adieu un matin après l'avoir raccompagnée au coin de la rue Catinat. Je l'ai regardée s'éloigner avec son panier et ses cartes postales. Je ne pensais plus la revoir. Mais le lendemain, elle était à l'aéroport. Dans une ambiance d'exode et une cohue insoutenable, je l'ai vue tout à coup. Elle était venue, elle qui ne partirait jamais. Je me suis approchée, et elle a alors glissé quelque chose à mon bras : un petit panier d'osier rond et fragile. Quand j'ai voulu parler, elle n'était plus là. Dans le panier, il y avait une unique carte postale, qui représentait la rue Catinat. Mais il y avait plus que cela, je l'ai compris plus tard. Dans ce petit panier, elle avait mis, comme un dernier repas, un ultime dialogue, ses souvenirs et les miens.

Trois poissons rouges

Elles avaient trois poissons rouges : Carmen, Violeta et Montserrat. Carmen était toute noire avec des yeux exorbités, c'était la plus vieille, elle était écrivain. Les deux autres étaient chanteuses. Quand Tessa avait rencontré Julia, elle venait de perdre deux poissons. Elle en avait alors choisi deux autres, et c'est Julia qui leur avait donné leur nom. Violeta, un shubunkin coloré, c'était sa contribution à leur amour : Tessa ne connaissait pas Violeta Parra, la chanteuse chilienne. Julia ignorait tout encore de Carmen Martín Gaité. Montserrat, le poisson voile, c'était Montserrat Caballe, le liant, l'Espagne et l'opéra italien, Tessa et Julia réunies, le hasard peut-être, ce qu'il adviendrait de leur histoire.

Les trois dames s'étaient ainsi retrouvées dans l'élément liquide, entre des fougères en plastique et un petit lapin de verre que Tessa avait jugé bon de placer au fond de l'aquarium. Elles faisaient bon ménage au début et ouvraient placidement la bouche tout en s'observant du coin de l'œil. Pour Julia et Tessa aussi, au début, tout était eau, scintillement de lumière, tout était mélodie et chansons. La musique faisait des bonds de chat entre les portes ouvertes, glissait dans la chambre chaude, léchait les murs, roulait sous les couvertures, se perdait dans la cuisine. Du revers de la main, Tessa poussait le tas de journaux et de papiers qui encombrait la longue table et mettait le couvert. « Julia », appelait-elle doucement. Mais Julia était si bien sous les draps, elle n'avait pas envie de bouger. Dans ce lit, dans l'hiver, elle avait trouvé sa place. Elle avait le sentiment d'être arrivée là où elle devait être, au terme d'un très long voyage, qui avait duré des années et pris diverses formes, et tout ce qu'elle voulait maintenant, c'était rester dans cette chambre et écouter des chansons. Comme Tessa, elle avait une préférence pour les mots orange de la langue espagnole et pour le velours noir du fado. C'étaient des mots un peu nostalgiques, un peu dramatiques, c'étaient des mots d'exil, des mots qui leur ressemblaient. Car elles venaient de là toutes les deux, de mondes où l'on cherchait un monde meilleur. Les grands-parents de Tessa avaient quitté le Portugal dans les années soixante et émigré au Canada avec leurs fils déjà adultes. L'aîné venait de rencontrer une jeune Espagnole à qui il avait promis le mariage. Elle avait fait les démarches nécessaires et l'avait rejoint à Toronto. Tessa fut conçue au cours du voyage de noces aux chutes du Niagara. Elle hérita de sa mère les pommettes hautes et la bouche sensuelle, de son père, le goût des amitiés et des fêtes, l'aisance en société et la facilité pour les langues, du lieu de sa conception, la peur du tumulte et du déchaînement, et peut-être du jour de sa naissance, le 14 juillet 1968, un certain goût pour la France. Elle avait les yeux fiévreux de sa grand-mère portugaise, dont le sang avait croisé l'Afrique et qui était, excepté la couleur de la peau, le portrait tout craché d'Ella Fitzgerald. Mais elle ne devait sa taille à personne, sinon aux valeurs nutritives du lait canadien. C'était du moins l'explication de la famille, qui avait vu avec stupéfaction Tessa et son frère atteindre presque un mètre quatre-vingts.

Julia avait aimé que, tout comme elle, Tessa vienne d'ailleurs, que son visage dise une longue histoire de mers et de nostalgie, qu'elle parle quatre langues et le français avec un accent si touchant. Il lui semblait que les mots pouvaient ainsi lui être redonnés, qu'en étant de partout, on était chez soi, et qu'en étant avec Tessa, elle serait chez elle. Qu'elle trouverait peut-être ce qu'elle cherchait depuis si longtemps : l'amour qui attendait quelque part. C'était peut-être là qu'il attendait, dans ce pays du nord. Dans ce pays qui avait toujours un peu fait partie de son histoire. Car avant que ses parents quittent l'Italie pour émigrer en France, son père avait songé au Canada. Mais la mère de Julia n'avait pas voulu de cette destination. Elle jugeait le pays trop éloigné, trop vaste, trop blanc. On pouvait s'y perdre, y disparaître. Son grand-père maternel était allé y chercher fortune et n'en était pas revenu. Il avait d'abord donné des signes, envoyé des cartes, de l'argent, puis, avec les années, moins de cartes et moins d'argent, puis plus rien du tout. Sa femme avait fait faire des recherches avec ses pauvres moyens, et elles avaient été vaines. Mais ce mari disparu n'était pas mort, cela elle l'aurait su. Peut-être avait-il changé d'identité, peut-être avait-il fondé une nouvelle famille, personne en tout cas n'avait plus jamais entendu parler de lui. Aussi la mère de Julia avait-elle peur du Canada. Pourtant, du côté paternel, cela s'était mieux passé. Le dernier frère de son père était parti et n'avait oublié personne. Quand Julia était enfant, on ouvrait régulièrement une boîte à chaussures pleine de photos. Celle de ce grand-oncle la fascinait. On le voyait debout dans la neige, vêtu d'un blouson de peau et coiffé d'une sorte de chapka. Sa femme portait un manteau clair avec un col de fourrure ; derrière eux, il y avait des pins et des maisons de bois qui ressemblaient à des chalets. C'était un cliché en noir et blanc avec des bords dentelés. Quand on retournait la boîte à chaussures sur la table, c'était toujours cette photo que Julia recherchait. La photo de ce pays blanc où l'on pouvait se perdre, abandonner les siens, changer d'identité et mourir sans passé, ou bien envoyer des images de soi, heureux dans la neige. Cette photo, elle l'avait sur elle quand, à l'aube du nouveau siècle, elle avait émigré à son tour et qu'elle

79

était arrivée à Montréal avec un sac de voyage et un risque à courir, un danger à contourner.

Mais de danger, il n'y avait point. Elle avait aimé cette ville tout de suite, totalement. Elle marchait des heures entières, puis elle s'asseyait sur le haut tabouret d'un comptoir et riait toute seule : « Tu vois, maman, il n'y avait pas de quoi avoir peur. » Elle était loin, ailleurs et pourtant chez elle. Elle avait un sentiment d'irréalité quelquefois. Elle s'arrêtait en pleine rue : oui, cette femme heureuse, c'était elle ! Des premiers mois de cette vie nouvelle, elle avait le souvenir d'une incroyable légèreté. Il lui semblait que chaque matin elle se levait sur un jour entièrement neuf, qui n'avait de commun avec le précédent que sa capacité à l'émerveiller et qu'il était à elle, qu'il lui était donné. Un dimanche matin très tôt, en avril, elle avait marché dans la neige, entièrement seule. Aucun pas n'avait encore foulé le sol. Le silence était fascinant. Elle s'était immobilisée, avait regardé autour d'elle : le silence était vivant, elle le sentait battre dans son cœur et dans sa gorge. Toute cette blancheur était l'essence même de l'espoir et du bonheur. Longtemps, la ville avait eu cette couleur, la couleur aimée de son arrivée,

celle qu'elle avait imaginée et espérée. Puis, avec
le premier soleil, les terrasses avaient surgi sur le
trottoir comme si on avait brusquement levé un rideau, et les rues étaient devenues jaune pâle.
C'était une couleur frileuse encore, transparente
et nue. Elle avait pris de l'épaisseur quand l'été
s'était installé, elle était devenue plus riche et plus
dense et, plus tard, Julia l'avait vue éclater comme
un fruit mûr. Montréal était brune les soirs
d'orage. Elle était nacrée quand ses arbres dégou-
linaient de pluie, et ses nuits alors étaient vertes
et profondes.

La ville était rousse quand Julia avait rencontré Tessa. L'automne dorait le chemin du matin,
la rue calme qu'elle remontait jusqu'au bureau,
où Tessa venait d'être embauchée. On le lui avait
présentée. Julia avait levé les yeux et avait vu des
cheveux bouclés, de grands yeux sombres. Tessa
était debout devant elle, si grande, si envelop-
pante, elle avait tout de suite eu envie de se blot-
tir dans ses bras. Elles avaient travaillé l'une près
de l'autre. Elles avaient fini par mieux se connaître. Un jour, leurs visages avaient été proches, et
un jour, elles avaient marché côte à côte comme
une facilité, une évidence.

Tessa habitait au-dessus d'une boulangerie juive, et la chaleur montait jusqu'à l'appartement avec le ronronnement du four et l'odeur de la pâte qui cuisait. Le couloir sentait le sésame et Julia s'engouffrait dans cet espace qui la réconfortait, qui la dépaysait. Elle entrait dans la cuisine aux dalles noires et blanches, aux murs tapissés de photos. La longue table était toujours encombrée de papiers et de journaux, et partout, des pots, des boîtes, des bibelots. Elle aimait cette profusion, cette végétation qui croissait sur chaque surface, dans chaque interstice, parce que c'était le monde organique de Tessa, et Tessa était une fleur de grenadier. C'était le lieu de leur amour, tout y était à leur mesure. Elles sortaient peu, et toujours quand la nuit commençait à tomber. Elles marchaient emmitouflées jusqu'aux cheveux, des collants de laine sous leur pantalon. Le froid les cinglait, la buée de leur souffle mouillait leur écharpe. Elles rentraient vite, attirées par ce havre de chaleur qu'étaient leurs corps et le lieu qui les contenait. Dans la chambre, le grand lit portugais occupait toute la place. On pouvait à peine bouger dans cette chambre, mais Julia n'avait pas envie de bouger. Couchée à l'envers, la tête sous la fenêtre, elle regardait la neige tomber et

Violeta Parra chantait *Gracias a la vida*. Non, elle n'avait pas envie de bouger. Il lui semblait que rien ne pourrait lui faire quitter ce lieu, qu'elle l'avait gagné de haute lutte et que cette richesse était à elle maintenant, ce «deux», ce «nous», cet amour commun des chansons, les rires autour des poissons rouges. Carmen, l'écrivain, était la plus alerte, la plus robuste. Julia la regardait avec respect depuis qu'elle connaissait ses livres, depuis qu'elle avait lu *Passages nuageux* et *Drôle de vie, la vie*. Violeta, c'était la tristesse et la joie. Elles n'écoutaient pas d'opéra, mais Montserrat se devait d'être là, c'était la langue italienne, c'était ce qui venait de Julia.

83

Les premiers gestes que faisait Tessa en se levant, c'était ouvrir la petite boîte contenant la nourriture pour poissons, se saisir d'une petite cuiller et la tapoter au-dessus de l'aquarium. Trois bouches arrivaient alors comme des fusées et les petits grains s'éparpillaient dans l'eau trouble. C'est dans ces gestes que résidait l'image de leur vie commune : Tessa encore ensommeillée, le bras au-dessus de l'aquarium et la musique enveloppant leurs matins. Si bien des chansons disaient la perte et le désespoir, elles n'y prêtaient pas attention, elles n'entendaient que les voix qui disaient maintenant et toujours, toute une vie je t'aimerai. Qu'est-ce qui les auraient empêchées d'y croire à ce moment-là? L'été arrivait, il serait splendide. Elles avaient suspendu un rideau de bambou à la porte du balcon. Il y aurait une table ronde sous le soleil, l'odeur du soir, sa fraîcheur attendue, et des grillades et du vin, et des mots murmurés dans la nuit qui s'attarde. Il y aurait le chant des oiseaux s'infiltrant à l'aube dans leur sommeil. Elles traverseraient le rideau dans le jour éclatant. Les minces franges de bambou se prendraient dans leurs cheveux, leur bruissement donnerait des ailes à leur été. Qu'est-ce qui aurait pu les faire douter?

L'ombre était apparue à la fin de l'été. Ce n'était presque rien au début, juste des mots qu'elles avaient commencé à entendre. Des mots dans des chansons qui disaient mal, tu me fais mal. Et ces mots avaient commencé à gagner leurs gestes et leurs paroles. Elles avaient commencé à ne plus tout à fait se comprendre, à ne plus tout à fait savoir se parler, à ne plus tout à fait savoir s'écouter. Elles avaient commencé à être un peu déçues, à être un peu irritées, mais c'était vague encore. Julia avait compris que quelque chose avait eu lieu quand, un matin, elle avait trouvé Violeta morte au fond de l'aquarium. Violeta, sa contribution à leur amour. Julia avait pensé que c'était peut-être elle qui avait baissé les bras la première, que c'était elle peut-être qui avait commencé à se taire. Mais quelque temps plus tard, Carmen gisait à son tour derrière la paroi de verre. Julia sut alors qu'elles étaient en train de se perdre. Elles se perdaient de manière floue, sans vraiment savoir comment, sans pouvoir mettre de mots sur ce qui leur arrivait. Une fine membrane les séparait de ce qui aurait pu être. Il aurait suffi d'un pas dans une direction précise, peut-être juste un pas de côté, pour que soit rompu ce mouvement qui les emportait loin l'une de l'autre. Quelque chose leur échappait, s'effrangeait, s'effritait. Était-il si loin, le temps où elles écoutaient *Gracias a la vida*, le temps où l'hiver était chaud et l'amour, plein de promesses?

85

Un matin, Julia s'était réveillée sans avoir entendu le réveil de Tessa, la tasse sur la table, les bruits familiers du matin sur lesquels d'ordinaire elle se rendormait. Elle s'était levée, elle avait marché dans l'appartement silencieux, là où il y avait eu de la musique, où il y avait eu des bras ouverts. Que restait-il maintenant? Elle avait regardé autour d'elle, incrédule, et ses yeux s'étaient posés sur l'aquarium où Montserrat semblait appeler. Elle s'était approchée : Montserrat, le poisson voile, le liant, le monde ibérique et l'opéra italien, Tessa et elle réunies. Elle s'était soudain demandé pourquoi elles n'avaient jamais écouté d'opéra. Pourquoi ce qui les liait n'avait jamais été partagé. Elle regardait Montserrat, la langue italienne jamais exprimée, elle la voyait étinceler au soleil. Pourquoi avait-elle nié cette partie d'elle-même, pourquoi l'avait-elle tue? Elle lui avait préféré des langues qui lui ressemblaient, des sons qui la lui rappelaient, et elle s'était approchée d'elle sans jamais l'étreindre. Pourquoi ne l'avait-elle pas aimée? Elle avait levé la main et touché son visage. Il lui semblait que sa peau avait perdu sa douceur, qu'elle avait le grain de la terre, et son corps était devenu poreux, perméable à toutes les tristesses, à toutes les solitudes. Elle était restée là un long moment, immobile, puis elle avait regardé par la fenêtre. De l'autre côté de la ruelle, le voisin italien, vêtu d'un pull rouge, s'occupait de son jardin. Elle avait pensé à son père. Elle avait pensé aux chansons qu'ils écoutaient quand elle était enfant, aux mots colorés qu'elle aimait, et quelque chose était remonté de son cœur jusqu'à sa gorge. Tout à coup, il lui avait semblé qu'elle comprenait. Elle comprenait qu'il n'y aurait jamais d'amour, qu'aucun amour ne serait jamais possible si elle ne retrouvait pas ce qui lui appartenait. Elle s'était alors senti immense, pleine d'une force et d'une douleur inexprimables. Il était peut-être temps encore. Temps de vouloir ces mots, de les bercer, de les chérir. Elle espérait qu'il était encore temps.

Quand elle se tait

Quand elle se tait, quand tu attends un mot d'elle et qu'il ne vient pas, ton âge te reprend et tu oublies l'avenir. Tu oublies que tu es belle, qu'un feu brûle dans tes yeux. Tu oublies que tu t'es promis de vivre vieille et de ne jamais vieillir. Quand elle se tait, splendide et fermée, perdue, non pas à elle mais à toi, tu ne vois plus que les années qui vous séparent et tu te dis que tu étais folle, folle d'avoir accepté son offrande, sa jeunesse. Tu aurais dû te soustraire à sa voix, à son amour frondeur, et partir tout doucement, partir même en rampant. Mais tu pensais être une femme libre et tu as ouvert les yeux, tu as regardé son visage. Tu n'as pas bougé lorsque de ses longs doigts elle a ouvert ton cœur. Elle est venue vers toi contre ta solitude, ta vie devenue immobile. Elle est venue d'un lointain point du monde avec des mains fraîches, un corps souple et des yeux plus vieux que son âge. Des yeux ardents qui t'ont reconnue, qui t'ont voulue, toi, telle que tu étais. Tu as souri devant son visage éperdu, ses mots définitifs : elle disait jamais et toujours, et c'étaient des mots que tu ne disais plus. Tu l'as laissée marcher vers toi, fragile et téméraire, et tu étais touchée, tu étais séduite. Tu te sentais légère. Tu l'as laissée t'enserrer doucement, s'approcher en cercles concentriques, faire de toi le centre du monde. Tu l'as laissée avancer inexorablement, t'appeler le jour et la nuit, bousculer tes habitudes, et puis tu l'as laissée oser ce que tu n'aurais jamais osé, tu l'as laissée pousser la porte de ta chambre. Maintenant elle est là, distante et butée. Maintenant elle se tait et tu es malade d'une peur irraisonnée. Tu la vois se lever, partir loin de toi de son pas de chameau, tu la vois retraverser cette étendue qu'elle a franchie pour venir te rejoindre en se moquant du temps, de vos temps différés. Tu la vois emporter son corps sculpté dans le bois de l'ébène et te laisser dans cette pièce à jamais sans repos. Et tu voudrais pouvoir fermer les yeux, revenir à ton cœur. Tu voudrais pouvoir la toucher, faire un geste vers elle, mais tes mains sont de pierre. Tu voudrais parler encore, mais tu te tais aussi. Tu sens la nuit battre autour de vous, tu la sens vous envelopper, vous durcir.

Quand elle se tait, tu ne sais plus comment la rejoindre. Quand, drapée de rouge, elle ne t'offre qu'un profil de femme antique que tu ne peux t'empêcher de trouver beau, tu ne l'as jamais touchée, vos corps ne se sont jamais étreints. Quand elle se tait, tu oublies que vos corps qui tremblent et qui halètent font mentir les années, qu'alors, la nuit, le jour, tout est à sa place. Jambes contre jambes, mains contre mains, bouche contre bouche, vos corps ensemble sont une forteresse, une eau impétueuse dont le cours ne peut être dévié. Quand elle se tait, tu oublies que vos corps n'ont pas besoin de mots. Toi seule les appelles, et quand elle te dit qu'elle est bien, qu'elle t'aime et c'est tout, toi tu veux savoir comment, tu veux savoir pourquoi. Tu veux des mots, car sans eux tu es dans une grande solitude. Tu voudrais des paroles contre la peur. La peur de toi-même, de l'inconnu et de l'amour. Tu voudrais des mots contre le vertige. Quand elle se tait, tu marches sur un fil de coton au-dessus du vide, au-dessus de ce qui reste à imaginer et tu oublies que les mots que tu attends, elle ne les connaît pas. Elle ne peut pas les connaître, elle n'est pas de ce côté-là de la vie. Elle est du côté de l'élan et de l'audace, du risque sans questions. Elle ne sait pas ce que tu cherches, car elle ne cherche pas encore. Quand elle se tait, tu devrais te souvenir de toi, de ce que tu es, de ce que tu sais, de tous les chemins que tu as pris. Tu devrais te souvenir de l'enfant solitaire qui rêvait déjà de voyages, qui aimait les noms de villes, les noms de lieux, les mots qui appellent, qui disent «viens», «va» et «loin». Tu devrais te souvenir de la jeune femme qui était curieuse du monde et de l'amour : l'amour attendait, il fallait partir. Tu es partie souvent. Tu arrivais quelque part, tu défaisais tes valises. Tu espérais trouver, tu espérais rester. Tu peignais en blanc les murs de ton appartement, tu rangeais soigneusement tes livres dans ta bibliothèque. Tu achetais quelques meubles. Tu mettais un soin infini à t'installer. Puis tu repartais. Tu changeais de ville et de région. Tu recommençais. À l'amour, tu croyais toujours. Tu l'as cherché au sud et tu l'as cherché au nord. Tu t'es quelquefois trompée de direction, mais tu n'as pas renoncé. Le temps était ta richesse et ta force. Et si tu as fait fausse route, si tu es revenue sur tes pas, tu ne t'es pas égarée.

Quand elle se tait, tu devrais te souvenir que tous les chemins que tu as pris menaient vers celui-ci. Point de départ d'une intense géographie, élan d'une grande enjambée, il s'ouvre devant toi, car elle est ce dont tu as toujours rêvé. Elle est l'ailleurs, la jeunesse et l'amour. Souveraine comme une femme du désert, elle se tait mais elle ne te fuit pas. Elle attend que tu viennes, que tu la délivres de ta peur, que tu la délivres de ton âge. Elle attend que te revienne la mémoire de toi-même. Elle attend que tu dénoues le temps autour de vous. Elle n'a besoin que d'un geste, elle ne connaît pas les mots. Elle attend de t'enlacer dans sa caresse sombre, elle attend de te redonner le goût de sa peau et avec lui celui du rire. Alors quand elle se tait, tu devrais te taire aussi. Tu devrais apaiser le tambour de ta crainte, te lever, franchir les quelques pas qui te séparent de son cœur et te rendre à l'avenir.

93

Jours comptés

Elle est belle, c'est ce que tu penses debout devant son lit. Tu viens de suivre ta sœur le long de l'interminable couloir de l'hôpital, tu viens de pousser la porte entrouverte, tu viens d'entrer dans la chambre. D'abord, tu ne la reconnais pas. Pendant un bref instant, ton regard est suspendu à ton cœur, puis tu sais que c'est elle. Tu le sais depuis toujours : elle est ta première mémoire. Elle dort, le visage tourné vers la fenêtre. Il y a un an, elle te disait au revoir devant la grille de sa maison. Sa silhouette se découpait dans la lumière de juin, le cerisier était chargé de fruits, les tomates mûrissaient dans le jardin. Elle a regardé ta voiture tourner le coin de la rue et t'a fait un signe de la main. Son geste était triste, car tu partais souvent. Tu es là maintenant, tu es revenue en catastrophe de l'autre côté d'un océan et tu te dis qu'elle est belle, même ainsi, les traits douloureux, la bouche ouverte. Tu te demandes si tu es la seule à voir cette lumière sur son visage, si ta sœur, tes frères ont remarqué eux aussi cette beauté grave, ces traits épurés, comme si avant de partir, elle rassemblait tout ce qu'elle a été. Mais tu te tais, tu es incapable de mots. Ta sœur lui dit que tu es là, que tu viens d'arriver. Alors elle ouvre les yeux et, dans un souffle, dit ton prénom. Ce n'est pas un appel, c'est une reconnaissance. Plus tard, elle le répétera, une fois encore. Ensuite, elle ne pourra plus parler, ni regarder, ni s'alimenter. Hier encore, elle le pouvait. Hier encore, elle t'aurait dit des mots définitifs, des mots à emporter. La morphine la protège de la douleur, mais l'emmure dans le silence. Le médecin assure qu'elle entend, que l'on peut lui parler. Tu sais que ce n'est qu'une question de jours, que demain tu pourrais entrer dans une chambre vide, alors tu profites d'un moment où tu es seule avec elle, tu t'approches, tu murmures des mots pleins de douceur et d'abandon. Tu dis qu'il y a longtemps que tu ne l'as pas vue, que tu veux la regarder encore, que tu veux retrouver le bonheur de sa présence, même fragmentée, que tu veux encore toucher ses mains, sentir sa chaleur. Tu dis que tu as besoin de cela pour t'habituer à l'idée de ne plus pouvoir le faire. Et tu lui demandes de ne pas partir tout de suite, de rester encore un peu. Il te semble qu'elle comprend, il te semble qu'elle accepte. Elle te donne dix jours.

Dix jours enchâssés dans un mois de janvier irréel. Dix jours pour recoudre, pour nouer, pour tisser, pour faire de ces heures comptées un vêtement pour les heures nues.

Chaque matin, tu t'assieds à côté d'elle. Elle ne peut pas parler, elle ne te voit pas. Pour qu'elle te reconnaisse, tu prends ses deux mains ensemble, tu les poses sur tes joues, sur ton front, tu les promènes sur ton visage. Un jour que tu fais cela, tu vois des larmes dans ses yeux clos. Tu as besoin de la toucher, de sentir dans ses doigts la vie enclose, le sang qui bat. Tu la touchais avant aussi. Avant la chimiothérapie, tu lui épilais les sourcils. C'est à toi qu'elle le demandait. Elle te le demandait dès que tu arrivais. Elle tirait une chaise devant la fenêtre, te tendait la pince. Tu te mettais derrière elle, tu prenais son visage entre tes mains. Tu aimais ce rituel. Maintenant, tu lui coupes les ongles, délicatement, en prenant tout ton temps. Elle se laisse faire et tu es heureuse de retrouver cette intimité avec elle. Un soir, après le départ des infirmières, tu touches son cou, ses bras, ses épaules, ses pieds. Tu t'étonnes que sa peau soit si ferme, si blanche. Et il te revient un souvenir. Les premières vacances au bord de la mer. Son corps pâle qui craignait le soleil, ses taches de rousseur, et toi, ta sœur, tes frères noirs déjà, mats de toute façon, vous moquant affectueusement de sa « peau de poulet ».

Tu t'habitues à ces gestes, à ces échanges imparfaits, au long couloir où ton cœur cogne, à la lumière dans la chambre, à la chaise où tu poses ton manteau. Tu t'habitues à la voir couchée, elle qui était une mère debout, qui faisait frire l'ail, apprêtait les fleurs de courgette, enfournait les aubergines, qui savait construire un mur, tailler un arbre et panser les plaies aux genoux, elle qui était abondance et gestes protecteurs. Tu t'habitues à ne plus entendre que sa respiration, elle dont les mots étaient profonds et pleins de bon sens, dont la voix savait deviner et guérir. Mais

98

quand tu la regardes, tu vois son visage devenir plus grave, plus épuré, plus vrai encore, et cela t'apaise.

Il y a des moments où elle est là tout entière, réceptive aux allées et venues dans la chambre, aux présences autour de son lit. Il y a des moments où l'étau de la morphine se desserre et où elle voudrait se redresser, participer, être ce qu'elle a toujours été, vivante, présente, pleine de mots et d'attentions. Tu lui parles, ses doigts bougent. Tu lui caresses le front, tu lui dis qu'elle est belle. Elle fronce légèrement les sourcils et ce mouvement te fait sourire : elle pense encore que tu as de drôles d'idées.

Il y a des moments où elle s'en va, où tu la regardes s'éloigner, où tu ne sais plus comment l'atteindre. Tu as peur qu'elle n'ait plus la force de rester et tu t'accroches à sa respiration, tu scrutes son visage. Le temps s'épaissit, se fige entre tes doigts. Un soir, tu es encore là à l'heure des soins. Les infirmières la redressent doucement et elle ouvre très grand les yeux. Son regard est fixe et étrangement clair. Tu es debout contre le mur en face d'elle, mais elle ne te voit pas. Et dans ces yeux transparents, ces yeux d'enfant, où pour la première fois tu reconnais ceux de ta grand-mère, tu entrevois ceux de la mort.

Tu ne l'as jamais vue malade. Tu ne venais qu'entre deux périodes de chimiothérapie. Elle t'accueillait quand tu ouvrais la porte du couloir. Elle te prenait dans ses bras, elle te serrait fort. Tu la trouvais chaque fois plus petite, plus fragile, mais elle s'asseyait à table à côté de toi. Elle te parlait. Tu aimerais encore entendre sa voix.

Tu n'es plus celle qui vient et qui s'en va, celle qu'on accueille avec un repas. Tu es celle qui est là, qui regarde, qui veille. Qui recueille par petites poignées les moments épars, les mots absents, les gestes entravés comme le pain d'un dernier voyage.

Un après-midi, tu es seule avec elle. Ta sœur te dépose devant la porte de l'hôpital. Dans le couloir, tu es presque joyeuse, tu sais que personne ne viendra, il n'y aura qu'elle et toi. Tu entres et tu l'embrasses. Tu lui dis que tu vas t'asseoir près d'elle, que tu vas lire un peu. Tu as apporté un livre. Elle t'entend. Elle respire paisiblement. Une lumière limpide entre par la fenêtre. Tu déposes ton manteau sur la chaise, mais ton geste est plus léger et la chambre plus douce. Tu rapproches le fauteuil de son lit, tu lui prends la main, tu ouvres le livre. Tout à coup, tu sais pourquoi tu es heureuse. Tu es heureuse parce que tu es de nouveau face à elle comme tu l'étais dans l'enfance. Tu es dans la cuisine d'une maison lointaine. Tu es assise sur un banc. Elle, elle s'occupe à ses affaires, ses gestes sont tranquilles, son visage serein. Toi, tu lis. Tu es dans ton monde de rêves et d'aventures. Tes histoires parlent de marâtres, d'enfants perdus, de forêts ensorcelées, de maisons faites de pain et de sucre, de bottes qui deviennent des fées. Tu soupires d'aise, tu es bien, tu peux partir loin. Mais si tu trembles, si tu as peur, tu lèves les yeux et elle est là, elle te protège. Elle aime que tu lises près d'elle, si petite et si calme. Tu aimes qu'elle ne te dérange pas. C'est d'elle et de toi, le souvenir que tu préfères. Vous êtes ensemble et vous êtes libres. Maintenant, assise près de son lit, pendant que son corps s'éloigne, que le silence devient doré, tu lui rends sa jeunesse, ses épaules pleines, ses bras vigoureux. Tu lui rends, avant de l'emporter, son regard d'amour, sa présence bienveillante, et à ce moment-là, tu sens ses doigts bouger dans ta main. Vous vous quittez ainsi. Il y aura d'autres journées, il y aura encore un matin où tu lui diras que tu l'aimes et que ce sera toujours comme ça. Mais c'est ce jour-là, en prenant ton élan du plus loin de l'enfance, que tu peux la laisser s'en aller.

Table

Achevé d'imprimer sur les presses
de Transcontinental Métrolitho
à Sherbrooke, Québec,
premier trimestre 2008.